AS CABANAS QUE O **AMOR** FAZ EM NÓS

ANA SUY

AS CABANAS QUE O **AMOR** FAZ EM NÓS

Ilustrações
Julia Panadés

 Planeta

Copyright © Ana Suy Sesarino Kuss, 2024
Copyright © Editora Planeta do Brasil, 2024
Todos os direitos reservados.

Revisão: Matheus Bibiano Branco e Valquíria Matiolli
Projeto gráfico e diagramação: Márcia Matos
Capa: Helena Hannemann | Foresti Design
Tratamento de ilustrações: Renata Spolidoro
Ilustrações de capa e miolo: Julia Panadés

Dados Internacionais de Catalogação na Publicação (CIP)
Angélica Ilacqua CRB-8/7057

Suy, Ana
  As cabanas que o amor faz em nós / Ana Suy; ilustrações de Julia Panadés. – São Paulo: Planeta do Brasil, 2024.
  272 p.: il.

ISBN 978-85-422-2677-5

1. Poesia brasileira I. Título II. Panadés, Julia

24-1435   CDD B869.1

Índice para catálogo sistemático:
1. Poesia brasileira

Ao escolher este livro, você está apoiando o manejo responsável das florestas do mundo

2024
Todos os direitos desta edição reservados à
EDITORA PLANETA DO BRASIL LTDA.
Rua Bela Cintra, 986 – 4º andar
Consolação – 01415-002 – São Paulo-SP
www.planetadelivros.com.br
faleconosco@editoraplaneta.com.br

Para Dolores, minha mãe,
minha primeira cabana.
Para Milena Yumi, minha filha,
que me fez sua primeira cabana.

Devagar… as janelas olham.
Eta vida besta, meu Deus.
(Drummond)

Ah! Sou realista demais: só ando
com os meus fantasmas.
(Clarice Lispector)

APRESENTAÇÃO, OU EXPLICAÇÃO QUE NINGUÉM PEDIU

O livro que você tem em mãos é, dentre os meus livros de crônicas e poesias, aquele com o qual tenho uma relação menos ambivalente. Escrevo isto e escuto Cazuza cantando no meu ouvido sobre a sorte de um amor tranquilo. Lembro também do Freud, que escreveu que a relação de uma mãe com o filho menino é a relação menos ambivalente na vida de uma mulher. Penso que muitos de vocês podem, com isso, interpretar que este livro é o que eu amo mais, que é o meu preferido. Não é, embora não deixe de ser. Mas é o livro que ocupa em mim o lugar mais pacífico (ao lado de *A gente mira no amor e acerta na solidão*, que não coloquei na série por não se configurar literariamente como um livro de crônicas ou poesias).

Explico: a convite da Editora Planeta, meus três livros de crônicas e poesias já publicados, antes pela editora Patuá, receberam novas edições. O *Não pise no meu vazio*, foi o primeiro, lançado em 2017, em sua primeira versão, e em 2023, em sua nova edição. Agora, *As cabanas que o amor faz em nós* (cuja primeira versão foi publicada em 2019) e *A corda que sai do útero* (em 2021) ganham novas edições em 2024. Tanto para o *Não pise no meu vazio* quanto para *A corda que sai do útero* me baguncei para escrever os textos de apresentação para a nova edição. Me arrependi diversas vezes de ter assinado o contrato com a Planeta para as novas versões desses dois livros. O *Não pise no meu vazio* ganhou um subtítulo na versão nova – "ou o livro do vazio". O *A corda que sai do útero* ganhou um capítulo novo. Neste livro, o das cabanas, no entanto, eu só me dei conta de que não havia escrito um texto de apresentação para ele no momento em que já estava entregando sua versão final à editora.

Veja, não é que não tenham novidades neste livro. Existem, mas elas me deram pouco trabalho

– ou, talvez, pouco sofrimento. Especialmente no capítulo 2 incluí textos que já havia escrito, mas não havia publicado. O capítulo 3 me convocou a escrever coisas novas. Mas nada disso abalou a estrutura do livro (ou da autora).

Com uma profunda e genuína alegria e com uma inteireza que chega a me ser estranha, escrevo este texto apresentando a edição nova do livro das cabanas! Confesso para vocês que, como boa neurótica que sou, fico até desconfiada dessa segurança toda que estou experimentando. Mas me interessa mais desfrutá-la do que me dedicar a achar pelo em ovo.

Antes de terminar esta apresentação queria dizer, ainda, que esse livro das cabanas é uma espécie de irmão-mais-velho-que-nasceu-depois do *Não pise no meu vazio*. Enquanto o livro do vazio fala de amores tão doloridos, de amantes enlouquecidos, de sofrimentos assombrosos, ainda que aponte para um certo tratamento do vazio, o livro das cabanas é um tanto mais sereno. Termino este texto aproveitando que ainda escuto a canção do Cazuza ressoando em meu corpo.

PREFÁCIO
por Marco Antonio Coutinho Jorge

A escritora e a psicanalista dão-se as mãos mais uma vez e Ana Suy Sesarino Kuss nos brinda com um novo livro de poesia em prosa, gênero que dá à sua voz uma inflexão especial e destaca seu timbre de forma pungente.

Tanto para a psicanalista quanto para a escritora, o amor é o centro do maior interesse, e, ao ser abordado pelas quatro mãos de uma só autora, vários de seus matizes aparecem. Mas é sobretudo pelo viés do desencontro amoroso que o amor se dá a ver. Em seu texto há análise, há catarse, há observação aguda da vida cotidiana, num *brainstorm* do verdadeiro amor – o impossível. Se há encontro, é da palavra poética que, como na análise, diz-solve a dor.

Sua prosa poética é analítica, porque transmite em primeiríssimo plano os avanços e recuos que a libido, em sua busca frenética, sempre dá em relação ao objeto amoroso, num vaivém que por si só já mostra quão temerária é a aproximação da Coisa; catártica, porque vomita a libido tóxica (Freud *dixit*) e seu fluxo incoercível em tudo semelhante ao do pensamento que parasita a mente. Ana Suy exercita para o leitor uma observação aguda da simbiose a que o amor aspira cotidianamente como meio de afastar a morte e reunir os pedaços do corpo dilacerado.

O ritmo é o mesmo dos *Knots*, de Ronald Laing, em que, tal como na fúria dos pseudópodes emitidos pelos personagens de *O Impossível*, de Maria Martins, os sujeitos se entredevoram dalinianamente numa intersubjetividade imaginária sem fim. E ao mesmo tempo, paradoxalmente, lembram *Dáfnis e Cloé*, que aguardam as instruções – frequentemente insalubres – do Outro para poder se relacionar.

Os personagens – homens e mulheres – têm seu grandioso amor continuamente ameaçado pelo estranho gozo do outro e pela morte, seu mais autêntico rival. Eles tentam de tudo e, sob o talho da incompletude e na angústia radical da beira do abismo, invocam todos os oxímoros possíveis e imagináveis, até mesmo o célebre separar-se para poder continuar juntos. Eles encontram, na maioria das vezes, a grande redenção do amor no humor, pois, como Lacan pondera, "a vida seria trágica se não fosse cômica".

Ana Suy domina o fluxo da linguagem coloquial com seu talento poético e, com recursos ao mesmo tempo formais e semânticos, criando sintagmas deliciosos como falta-de-criatividade-amorosa-crônica. Usa quase sempre o condicional ou o interrogativo, não o afirmativo. Sua poesia é em prosa e em pressa, com frases que são jatos que abolem o tempo e dão aos enunciados todo o vigor possível da enunciação.

Ao longo da pletora de emoções, há ensinamentos que surgem. E talvez especialmente um: com frequência o objeto amoroso é pobre e desprovido de qualidades e é o amor que lhe fornece o que ele não tem. Não é demais ver aí um acréscimo ao *diktat* lacaniano "Amar é dar o que não se tem": amar é também dar ao outro o que ele não tem.

P.S.: Se no arroubo poético de Lacan um sorriso se multiplica quando é o de uma pessoa jovem, o de uma criança ilumina o mundo. Ana Suy é mãe de uma menina, que tem o olhar e o sorriso mais lindos do mundo. A ela dedico este prefácio amoroso.

SUMÁRIO

Parte 1
Amor é cabana de palha?

AMORES LÍQUIDOS	25
PARA EXISTIR	27
SEUS LÁBIOS	29
TULIPA AZUL	31
ONDE QUERO MORAR	
(HOMENAGEM A CECÍLIA MEIRELES)	33
SE TUDO PODE ACONTECER	37
QUANDO VOCÊ CHEGOU	39
PROTEÇÃO	43
O COMEÇO DO FIM	45
LEI DA GRAVIDADE	47
PIOR DO QUE AQUILO QUE ACABA É	
AQUILO QUE NÃO TERMINA	51
EI!	55
SE ELE	59
NO MEIO DO CAMINHO TINHA	
UM LIVRO DE AUTOAJUDA	63

FAZ UM NÚMERO INCONTÁVEL DE VIDAS QUE ESTOU PRA TE CONQUISTAR	65
CAUSA MORTIS	69
QUERERZINHO	71
MALDITOS FUROS	73
DIÁLOGO DOS QUE NÃO DERAM CERTO	77
MORENA BERRANTE	81
POR TE AMAR	87
FANTASIA	89
DO QUE DÓI	91

Parte 2
Às vezes o amor é casa de madeira

INTENSIDADE	97
PODE ACONTECER?	99
SE EU SOUBESSE	103
LOUCURA SÃ	105
ESCRITO SEM CORPO	107
UMA PELE MIL PEDAÇOS	111
A VIDA	113
A GENTE SABE	115
COLAR DE PÉROLAS	117
CÉLULAS	121
PONTO DE LOUCURA	123
CAMINHO	127

CAÍDAS	129
CARTAS COMIDAS	133
NO MEU AGUARDO	139
QUEM AMA E É AMADO NÃO PRECISA ESCREVER	141
MORADIA	145
OUTRA	147
A PALAVRA ESCRITA É O CONTORNO DE UM VAZIO	149
O SUSTO	151
A MENINA E O PONTO DE INTERROGAÇÃO	155
ERA UMA VEZ UMA MOCINHA QUE PENSAVA QUE AMAVA O SABER, MAS NA VERDADE AMAVA O QUE NÃO SABIA	159
NUM E NOUTRO SEGUNDO	161
SORRY	165
LIA	169
A REGRA DO SONHO	171
CORPO DE MÃE, CORPO DE FILHA	173
TORTA DE BANANAS	175
EQUILIBRISTA	177
TUDO IGUAL	179
ANEL DE PÉROLA	185

Parte 3
Quando o amor é casa de tijolos

ELA	193
AMOR-TECIDOS	195
A MULHER E A NOITE	197
TE DEIXAR	199
POEMA INEXISTENTE	201
O MAR E O AMAR	203
É ASSIM	207
UM E DOIS E UM	209
AS CABANAS QUE O AMOR FAZ EM NÓS	213
QUANDO	215
TRÊS MINUTOS	217
DO QUE SALVA	219
TRAVESSIA	221
A DE DEZOITO E A DE NOVENTA E DOIS	225
A AMIZADE É UM AMOR SEM MÁSCARAS	229
ORAÇÃOZINHA	231
UM CORPO	233
QUEM SABE	235
MENINA,	237
O AMOR FRACASSA	239
TRÉGUA	243
ESCREVER	245
DESLIZAMENTO	247

NOTA SOBRE O DESEJO:	249
ELOGIO À INCOMPREENSÃO	251
QUANDO VOCÊ TEM 13 ANOS	253
E SE	257
PARADOXOS	259
CARNAVAL	261
BINHO	263
VIVER	267
AMAR	269

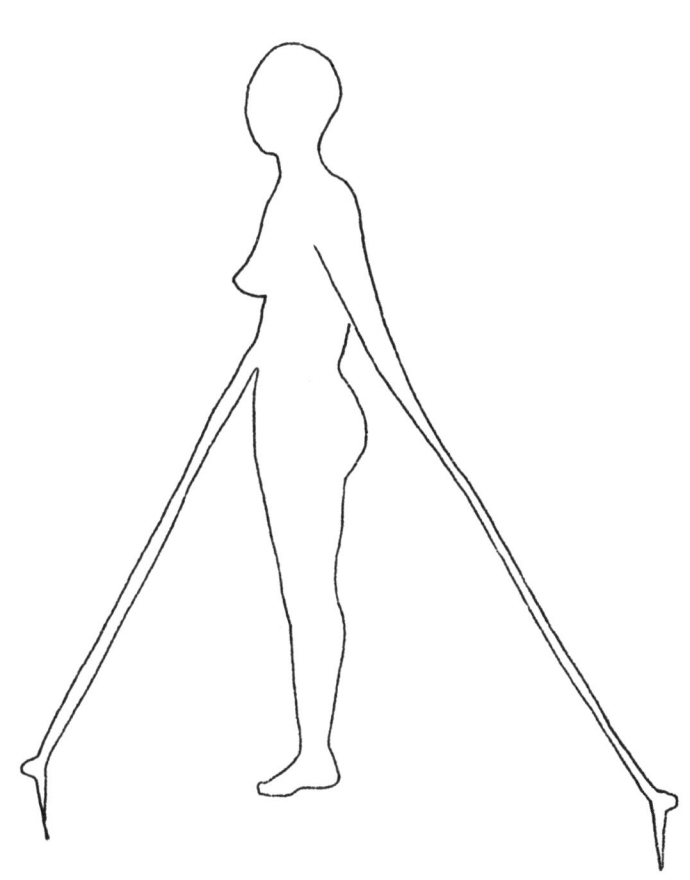

Parte 1
Amor é cabana de palha ?

AMORES LÍQUIDOS

Te amo pra sempr...onto, passou.

PARA EXISTIR

Eu só existo no seu olhar.
Então,
Por favor,
Pare de piscar.

SEUS LÁBIOS

Gosto dos seus lábios
Porque eles emolduram o seu buraco mais óbvio
Há vários furos na sua cara
Um olho, outro olho, uma narina, outra narina
Mas só a sua boca
É um furo que permite conexão
O beijo
É meu furo no seu furo
Quer se tenha ou não futuro
Nada mais importa
Ali somos dois iguais
Furados

TULIPA AZUL

Se eu te pedir pão,
você me der pão
e eu reclamar
do pão que você me deu,
não é que eu não quisesse pão,
é que eu queria pão e também amor.

Se eu te pedir vinho,
você me der vinho
e ainda assim eu reclamar
do vinho que você me deu,
não é que eu não quisesse vinho,
é que eu queria vinho e também amor.

Se eu te pedir uma tulipa azul,
você me der uma tulipa azul
e eu reclamar mesmo assim
da tulipa azul que você me deu,

não é que eu quisesse uma tulipa de outra cor,
é que eu queria uma tulipa azul e também amor.

Amor não é coisa que se peça,
por isso peço essas outras coisas todas,
mas se você acreditar
que quando eu te peço pão, vinho e tulipa azul,
eu estou mesmo te pedindo pão, vinho e tulipa azul,
então me terá sempre insatisfeita.

ONDE QUERO MORAR
(HOMENAGEM A CECÍLIA MEIRELES)

Para onde vão
as palavras não ditas,
os elásticos de cabelo que somem das gavetas,
as capinhas de guarda-chuva que ninguém usa,
os pés de meia que somem sem dar satisfação?
É lá que eu quero morar.

Para onde vão
os amores contidos por medo da rejeição,
as lágrimas engolidas a seco,
os orgasmos que quase vieram,
os tapas contidos com beijos?
É lá que eu quero morar.

Para onde vão
os amores que não floresceram por falta de atenção,

as amizades que os afazeres da vida adulta distanciaram,
os salgadinhos que foram substituídos por ar nos pacotes coloridos,
as coisas que vivemos e que depois fogem da nossa memória?
É lá que eu quero morar.
Para onde vai
o excesso de saliva contido nos beijos,
o ritmo descompassado do coração que evita se apaixonar para se manter estável,
toda aquela cafeína que não me tira o sono,
o amor que virou ódio?
É lá que eu quero morar.

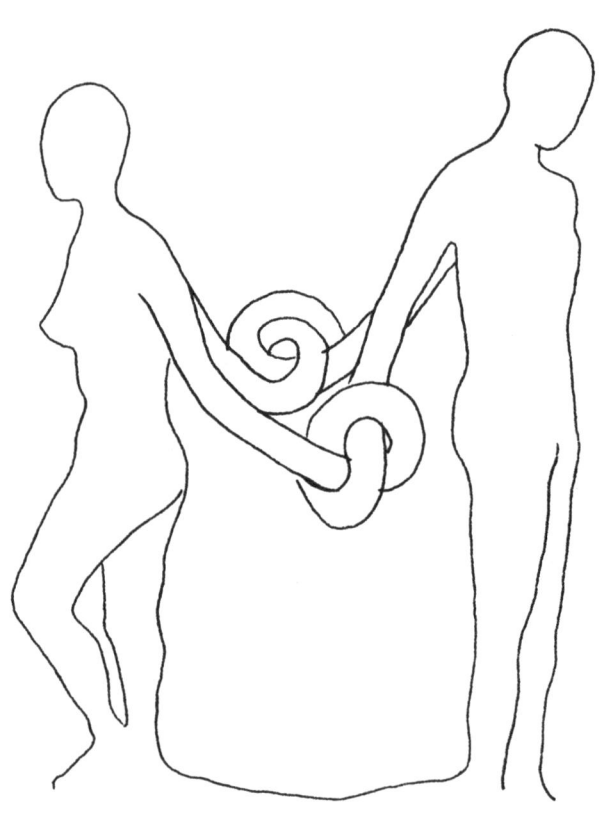

SE TUDO PODE ACONTECER

Se tudo pode acontecer,
Será que conseguimos fazer nós dois virarmos um só?
E será que eu posso morar embaixo da sua pele e fazer o laço que tenho com você virar um nó?

Se tudo pode acontecer,
Será que o relógio podia travar pra todo mundo – menos pra nós dois?
E um século pra nós acontecer em um segundo?
E não precisarmos deixar o "felizes para sempre" pra depois?

Se tudo pode acontecer,
Vai que a gente consegue encontrar o tal do "amor de verdade"?
Aquele que tudo supera, ama sem limites,
Como se não existisse a realidade?

Se tudo pode acontecer,
Será que você consegue trazer uma estrela e um pedaço de nuvem pra mim?
E, se eu plantar isso,
Será que consigo ter uma constelação no jardim?

Se tudo acontecer.
Será que você pode me escrever um poema de amor?
Não precisa ter rima, nem ortografia correta e também não tem problema se ficar um horror.

QUANDO VOCÊ CHEGOU

No dia que você chegou o meu coração se encheu de alegria e a esparramou por todo o meu corpo, vazando para o meu estômago, para a minha cabeça e para a minha garganta – por isso eu não sinto mais fome, sono ou sede.

No dia que você chegou eu fui tomada por um desejo tão imenso de me conectar a você, que pulei no seu colo e o abracei no abraço mais aconchegante que já houve nesse mundo, então desejei que o tempo parasse ali e ele parou – e aqui estou eternamente grudadinha no seu pescoço, inspirando seus feromônios.

No dia que você chegou eu quis te beijar um beijo enorme, um beijo que alcançasse todo o planeta, que estapeasse as convicções de toda a humanidade, que engolisse a sua boca para todo o sempre – assim aconteceu, e eis-me aqui com câimbras na boca.

No dia que você chegou eu desejei tão ardentemente que aquele dia durasse para sempre que o pôr do sol não veio e está dia há muito tempo, mas não sei dizer quanto tempo, visto que o tempo está parado.

Então, por favor, agora vá embora.

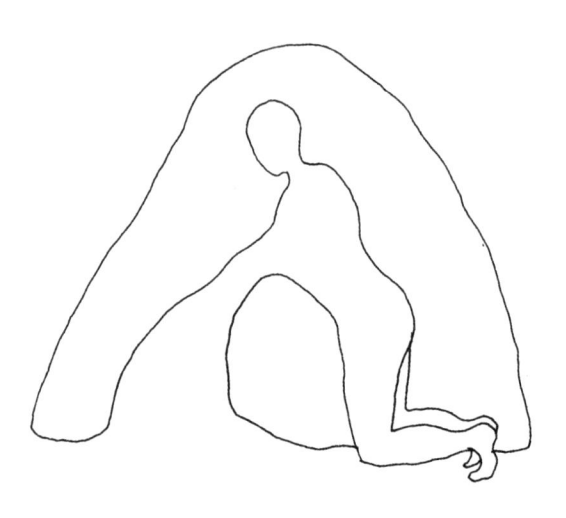

PROTEÇÃO

Como pode algo que saiu de mim não ser eu mesma? Não aceito. Pois é meu, sou eu, sim. E, se não é assim, tá errado, deveria ser. A carne nos enlaça, o gene nos une. Vejo o mundo por seus olhos e é tudo tão perigoso, você é tão frágil... Preciso lhe cuidar, quero lhe acariciar até o infinito. Prefiro a morte! se eu não puder lhe proteger. A melhor parte de mim não mora em mim, mas em você. Há em mim um empuxo-a-preservar-cada-pedaço-seu. Queria guardar cada pedaço seu e da sua vida para mim, tal como guardei sua primeira mecha de cabelo cortado num envelope no fundo do meu guarda-roupa. Doeu, a lâmina daquela tesoura me atravessou, mas valeu a pena. Agora a madeixa não me deixa, é minha, está comigo. Gostaria, verdadeiramente, de separar a grama saudável das ervas daninhas, as alegrias das tristezas, as jujubas vermelhas das de outras cores – e lhe oferecer só a grama verdinha, só as alegrias, só as jujubas vermelhas, só as nozes quebradas, só os mignons já cortados em pedacinhos, só os pinhões descascados, só, só, só. E então você seria tão feliz, tão perfeito, tão frágil, cada vez mais frágil. Quanto mais eu puder fechar os buracos do seu corpo com o meu amor, mais perene eu torno a sua alma. Quanto mais eu puder evitar as suas feridas existenciais, mais eu te aniquilo. Quanto mais eu puder te beijar o tempo todo, mais eu te enfraqueço. Pode-se causar a morte de alguém por excesso de amor? É possível matar um pedaço meu que está fora de mim tendo como causa mortis um desejo infinito de possuir desse pedaço a felicidade, em seu estado puro? Mata-se de excesso de amor? Pois só assim eu poderia verdadeiramente te proteger da vida. (Quando é que o excesso de amor se torna a falta dele?)

O COMEÇO DO FIM

Quando o toque exceder à pele, quando os beijos forem na boca do estômago, quando a voz de um causar cicatriz no ouvido do outro, quando os olhos se tocarem e ninguém puder piscar – sob o risco de acabar com a magia do instante –, quando o gole for a garrafa toda, quando a fome for de vida, quando o desejo for maior do que o amor, quando a palavra disser o que quero que ela diga: será o fim ou será o começo?

(Como são parecidos os nasceres e os pores do sol!)

LEI DA GRAVIDADE

Acordo, mas não abro os olhos. Desde que você se foi, acordar é um ato que não traz nada consigo, nem mesmo o ato de abrir de olhos. Desde que você se foi, minhas ações ficaram desnaturalizadas, uma coisa não leva mais à outra. Lavar o cabelo com o xampu já não traz mais a ação óbvia em seguida de passar condicionador. Depois de escovar os dentes me esqueço de enxaguar a boca. Depois de mastigar a comida não consigo facilmente me lembrar de que devo engoli-la.

Então, acordo, mas não abro os olhos. De olhos fechados, recomeço a busca dos dias anteriores, por uma palavra que me ponha ordem, por uma palavra que me cure, que me traga à vida: abracadabra? Abre-te-sésamo? Será que todas as palavras mágicas começam com "abra"? Não vai funcionar para mim, estou escancarada ao mundo, preciso de uma palavra que me feche, que me cicatrize.

Quando dou por mim, percebo que já se passaram cerca de seis horas nessa busca. O tempo, em mim, está desregulado. Nosso filho entra no nosso quarto, que agora é só meu quarto, mas o filho continua sendo nosso... céus, esta história do que é meu e do que é nosso está me enlouquecendo! Bom, ele entra em nosso quarto e pergunta se estou dodói. Digo que sim, ele pergunta onde é o machucado, aponto com o indicador direito para o meu peito e ele dá um beijo ali, dizendo que já vai passar. Mas o beijo dele faz doer ainda mais. Preciso ficar boa, preciso cuidar desse menino, ele não merece uma mãe zumbi, penso eu, fazendo doer mais a ferida imaginária que decidiu se alojar entre o meu pescoço e o meu abdômen.

Tudo ficou ao difícil desde que você se foi. Dormir e levantar tem sido as coisas mais difíceis. A química que havia entre a minha pele e a sua se transferiu para uma química maluca entre o meu corpo e a nossa/minha cama. Aqui nessa cama a lei da gravidade parece ficar ainda mais grave, meu corpo pesa toneladas e está desconectado do mundo. Não encontro uma palavra que me cure. Tenho a sensação de que já vivi essa tristeza que se veste de infinitas outras vezes, embora não me lembre de ter ficado nesse estado romântico com a cama alguma vez na vida. É isso a tristeza, um estado de apaixonamento solitário pela cama. A tristeza é um lugar quentinho porque me leva para o lugar escuro do quarto, para o macio da cama, para o desaceleramento e o silêncio que moram em mim. Preciso me desapaixonar, mas não por você, o amor que tenho por você não me faz mal. Ao menos não, ainda. Preciso é sair desse estado de apaixonamento por essa tristeza. "Tristeza não tem fim, felicidade, sim", disse Vinicius e cantou Tom. É, eu sempre tive uma quedinha por infinitos.

PIOR DO QUE AQUILO QUE ACABA É AQUILO QUE NÃO TERMINA

Se eu soubesse que quando eu disse que queria te beijar pra sempre, ou que eu queria sentir o peso dos seus seios sobre o meu peito eternamente, ou que eu daria um dedo meu pra parar o tempo naquele ponto em que sua respiração-hortelã-com-framboesa se aproximava do meu pescoço – se eu soubesse que o universo realmente atenderia aos meus pedidos, eu certamente não teria pedido nada disso.

Faz um tempo, que eu não sei precisar o quanto, pois o tempo realmente parou, mas deve ser o equivalente a uns cinco anos, que chupo sua língua, que beijo os seus olhos, que toco sua barriga com muito afinco – agora já nem tanto assim. Ainda não tinha quarenta anos quando me apaixonei perdidamente por você, e, embora eu esteja aqui há três dias, ou cinco anos, ou vinte séculos, quem saberá dizer?, acariciando a sua cintura e fungando entre os seus seios incessantemente, continuo não tendo quarenta anos. O tempo parou. Me sinto um personagem da Turma da Mônica, só que bem adulto. Sinto câimbras na língua e sequer sinto mais as minhas mãos (sem um dedo, que dei para que o tempo parasse – gênio), muito menos os seus seios nelas. Sinto saudades de não lhe sentir, sinto saudades de sentir saudades, sinto muito por já não sentir tanto.

Eu queria que os meus pedidos pudessem continuar não sendo atendidos, pra que eu pudesse continuar te querendo – ou eu queria levar mais a sério os meus pedidos e não desejar aquilo que não posso bancar.

Os deuses escutam os nossos pedidos apenas uma vez a cada punhado de tempo e, se o tempo parou de acontecer para nós, então não há mais esperança.

Mas, se estamos condenados ao congelamento, à pura repetição, à eterna vivência da mesma cena, aos mesmos sentimentos para toda a eternidade, como é que o meu cansaço diante disso pode estar acontecendo, se o próprio cansaço é efeito do tempo?

Eu me pergunto, enquanto escuto um obscuro tec-tec-tec, abro os olhos, são 7h da manhã de uma segunda-feira e o vizinho deve estar batendo a gilete na pia enquanto faz a barba. Lembro que eu também preciso fazer a minha antes de trabalhar.

EI!

Você já amou alguém até sentir o seu cérebro derreter?

Você já tocou a pele de alguém e se sentiu como uma planta dormideira, só que ao contrário?

Você já teve uma crise de angústia, ou uma síndrome do pânico, ou uma sensação de certeza do seu corpo estar se desintegrando, e então reencontrou com maestria os contornos do próprio corpo encarnados no olhar de um alguém específico?

Você já amou até confundir prazer com dor?

Você já foi amado até duvidar de que a realidade existe?

Você já viveu algo tão bom, mas tão bom, mas tão bom, que, por alguns instantes, acreditou que vivia um sonho?

Você já escorregou num clichê e deixou a fantasia do feliz-para-sempre escorrer em sua vida?

Você já caiu de bunda na realidade e se deparou com a sensação de que sua vida, gostosinha como uma tela de impressionismo, está se tornando angustiante como uma obra de hiper-realismo?

Você já perdeu a magia que sustenta sua relação com alguém e quando voltou o olhar para aquele que era o amor da sua vida – depois de um lapso de tempo tão breve quanto um piscar de olhos causado por um espirro – viu apenas mais uma pessoa que gasta o oxigênio do mundo?

Você já sentiu que o seu chão se abriu, que a vida é um engano, que não há âncora alguma entre corpo e alma?

Você já se doeu tanto, a ponto de ter certeza de que nunca, nada no mundo, poderia apaziguar sua angústia?

Você já conversou com você, às lágrimas, em frente ao espelho, e então parou de chorar por se deixar invadir por um sentimento de ridicularidade?

Você já sentiu que a única pessoa que poderia te resgatar do abismo era justamente aquela que cavou o abismo em você e te empurrou para lá?

Você já teve um caso tão sério com a dor de existir, que fez par com ela?

Você já se apaixonou pelo abismo onde você fez morada?

Você já evitou sair do abismo, por fazer da tristeza um lar, por preferir o quentinho de um sofrimento conhecido à possibilidade de uma alegria inesperada?

Você já se encheu de coragem, decidiu mudar tudo, acreditou que poderia mesmo e então foi tomado por uma onda de paralisia?

Você já saiu da fossa e, quando foi contar para alguém, não soube quando, nem como, nem por que, inclusive, só então é que percebeu que tinha saído da fossa?

Você já recuperou a vontade de viver com tamanha força, que chegou a duvidar de que a força é realmente sua?

Você já ficou se defendendo de flertar de novo com o abismo encarnado em alguém, que fizesse tudo valer a pena, mas teve as suas defesas frustradas?

Você já parou de evitar a vida porque percebeu que quando se evita a vida o que se encontra é a morte, e que não faz sentido viver morto?

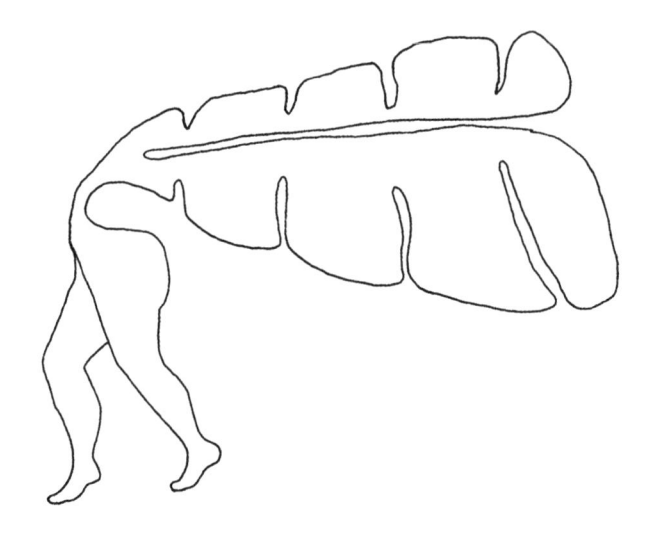

SE ELE

Se ele tivesse coragem, ele deixaria você se aproximar.

Se ele soubesse o que dizer, ele te ligaria, ao invés de ficar enviando emoticons e imagens sem sentido via WhatsApp.

Se ele não tivesse medo das coisas que você o faz sentir, ele te chamaria para jantar nesse final de semana, no próximo também e talvez em todos os outros.

Se ele não tivesse a sensação de que, se ele te segurasse pela cintura e sussurrasse qualquer bobagem ao seu ouvido e você risse, então vocês virariam um só por um instante, ele te olharia nos olhos com mais frequência – sem medo de que você enxergasse o desejo dele por você, tremelicando no colorido dos olhos dele.

Se ele não se sentisse esquisito por desejar que você estivesse com ele em momentos esdrúxulos, ele não seria um babaca com você, procurando por motivos para brigar sem sequer perceber que busca desesperadamente por uma razão que os mantenham separados.

Se ele olhasse pro próprio umbigo, ele perceberia que ele também tem furos.

Se ele levasse a si mesmo a sério, ele saberia como ativar o modo dane-se-o-que-os-outros-vão--pensar e priorizar o que é, de fato, prioridade.

Se ele não fosse tão ingênuo, ele saberia que, embora você seja encantadora, não pode ler os pensamentos dele, e aí não seria tão pão-duro com as palavras.

Se ele não perdesse a noção do contorno do corpo dele nos infinitos primeiros três centésimos de segundos seguintes a toda vez que ele sente o cheiro do seu corpo, ele te chamaria para passar as noites de sábado que durariam até as tardes de domingo com ele, e não te menosprezaria oferecendo apenas as noites de quarta-feira pós-jogo--do-brasileirão com cheiro de temos-que-trabalhar--amanhã-cedo-por-isso-sejamos-breves.

Se a sua presença não o fizesse titubear diante da ideia que ele faz dele mesmo, então ele cairia no abismo que existe entre o que ele pensa, que é e o que ele acha que deveria ser, e veria o quão analfabeto de si mesmo ele é.

Se ele fosse mesmo um homem, então, ele perceberia o quanto todos esses "se's" são verdades que se passam sem cessar em outdoors dentro dele, e não terminaria de ler este texto pensando "tsc, quanto mimimi de mulherzinha" (se é que terminou de ler).

NO MEIO DO CAMINHO TINHA UM LIVRO DE AUTOAJUDA

Era uma vez um homem tão apaixonado, mas tão apaixonado por uma mulher, que se sentia minúsculo e impotente do lado dela. Aquela mulher, aos olhos dele, era tão incrível, maravilhosa e perfeita, que ele sequer podia acreditar que um dia poderia ser correspondido. Mas a desgraça foi que o cara foi correspondido. A mulher achou o cara interessantíssimo e fascinante. Só que o cara achava a mulher tão magnífica que pensou que ela estivesse tirando sarro da cara dele com o interesse dela. E a mulher acreditou estar sendo rejeitada, como ela sempre acreditava ser, diante do exagero do encantamento do cara por ela – fantasiado de desdém. E assim nada aconteceu entre eles. Porque ele a achava incrível demais para acreditar que algo da realidade pudesse permitir um laço entre eles; porque a insegurança dela alcançava números demasiadamente negativos para possibilitar que ela topasse insistir num flerte com ele. E talvez a história dele e dela pudesse ser diferente se na semana anterior ele não tivesse lido um livro de autoajuda dizendo que os homens de hoje estão fragilizados diante da enorme potência feminina, o que o levou a acreditar, coitado, que ele deveria arranjar uma mulher fragilzinha para ele. E se ela não tivesse escutado os conselhos de uma amiga frustradíssima, mas que paga de descolada, dizendo que as mulheres empoderadas não dão bola para os homens, pois cabe aos homens, se estiverem mesmo interessados, serem corajosos o suficiente para conquistá-las. E assim acaba a história que não começou.

(De que serve uma paixão que não se consuma?)

FAZ UM NÚMERO INCONTÁVEL DE VIDAS QUE ESTOU PRA TE CONQUISTAR

Teve uma vida em que consegui esbarrar em você, mas você ficou tão preocupado com seus discos de vinil que caíram no chão, no meio da rua, que sequer olhou pra mim.

 Na vida seguinte escolhi vir como disco de vinil, em busca do seu olhar e dos seus ouvidos – mas aí a moda eram CDs, primeiro, e mp3s depois, então passei aquela vida toda em um sebo. Houve, ainda, uma vida em que vim como cigarro e torci muito pra você se viciar naqueles L&Ms de menta que você fumava no ano em que completou dezesseis anos, para que eu tivesse chances de ir parar na sua boca, já que vim como Marlboro vermelho, mas não tive sucesso. Teve uma vez em que vim como homem, mas o máximo que consegui foi levar um soco seu, em uma briga na balada que fiz questão de arranjar com você, lançando uma cantada barata praquela sua peguete sem graça. E, agora, depois dessas vidas todas e mais um tanto, eis-me aqui, finalmente, como receptora do seu amor.

É por isso que essa coisa entre nós precisa funcionar, isso precisa dar certo desta vez. Mas o amor é justamente aquilo que nos mostra que não estamos no controle. "O amor é a nossa maior lei de Murphy", você me disse, com olhos apaixonados, me contando o quão difícil foi pra você terminar seu noivado porque me conheceu no meio dele. Eu quase morri ao ouvir isso, só não morri porque sabe-se lá quantas vidas eu precisaria viver de novo até chegar a uma onde você me amasse de novo.

"É, o amor é a hipocrisia mais bonita que mora em cada um de nós", eu respondi, referindo-me ao fato de que você tem absolutamente nadinha a ver com todas as coisas que eu repeti ao longo de toda essa minha vida sobre o que eu considerava importante em um homem. Peço desculpas a todos os homens com quem eu me relacionei antes, me desculpem por todas as racionalizações idiotas que fiz a respeito dos fins. O problema sempre foi apenas que não gostei de vocês o suficiente.

Será muita coincidência ou será pura lógica matemática de probabilidades que, desta vez, tenhamos nos encontrado vivendo no mesmo planeta, no mesmo país, no mesmo estado, na mesma cidade, com idades próximas, interesses um pouco afins e que tenhamos nós dois baixado nossas defesas neuróticas e nos deixarmos atravessar ao mesmo tempo por esse raio de fragilidade que nos fortifica tanto – chamado amor?

Só sei que amorte.

CAUSA MORTIS

Quando o seu corpo toca o meu
ele me tinge de seu
é bonito na novela
é bonito nos livros
é bonito nos filmes e na vida dos outros.
Mas em mim é desesperador
seu corpo me estrangeiriza
sinto que a qualquer momento posso morrer disso.
Então, se acontecer de eu parar de respirar,
quero que façam uma autópsia do meu corpo.
Vai sair escrito no laudo:
Causa mortis
foi a tingida
e deixou de falar a própria língua.

QUERERZINHO

Eu queria tanto saber onde foi que eu errei com você... se foi quando eu esqueci o meu olhar nos quadris daquela loira, se foi quando minha voz se assentou para falar com a gerente do banco, se foi quando eu tirei a barba que você tanto amava, se foi quando eu não fiz questão de entender aquela indireta que você me deu.

Eu queria tanto saber onde foi que eu errei... porque eu queria não errar mais, eu queria ser o homem que você sempre sonhou e que todos os seus exs não tinham sido, eu queria te salvar da corrosiva dúvida sobre a existência do amor.

Eu queria tanto saber onde foi que eu errei... porque eu realmente me esforcei para ser quem eu achava que você queria que eu fosse, eu realmente me esforcei pra caber na fantasia que você costurou pra mim, eu realmente tentei me livrar de mim para que você me amasse.

Eu queria tanto saber onde foi que eu errei... pra me certificar de que eu errei justamente por não errar, porque no fim das contas eu bem sei que você quase me amou quando eu esqueci o olhar nos quadris daquela loira, quando a minha voz se assentou pra falar com a gerente do banco, quando tirei a barba que você tanto amava, quando não fiz questão de entender aquela indireta que você me deu, quando não tentei me livrar de ser quem sou para ser quem eu pensei que você quisesse que eu fosse.

MALDITOS FUROS

Quando a gente gosta é claro que a gente finge que nem gosta tanto, que é pra não assustar a pessoa. Mas a pessoa percebe mesmo assim, porque os meus malditos olhos estão sempre me denunciando. Malditos furos no meu rosto! Queria eu ter os olhos nas mãos, ou na nuca, ou em qualquer lugar que não fosse bem na minha cara. Então, disfarço os olhos-que-te-querem com rímel da Lancôme, que é pra forjar uma boa porção de desinteresse. Seduzir é isso, né, parecer desinteressada. Porque, olha só, não é possível, toda vez que me interesso por alguém, a pessoa disfarçadamente se afasta de mim. Volta aqui, mocinho, eu não vou te engolir, tá? Talvez eu apenas sugue um pouco da sua alma... mas você nem vai perceber, eu prometo ser bem delicada. Hahahaha, eu tô brincando. – Mas é verdade! – gritam os meus olhos tagarelas. Calem a boca, olhos! E dá-lhe delineador da MAC neles, porque a sedução não tá funcionado. Acho que um pouco de sombra da Dior garante forjar um desinteresse mais sincero. E veja só, praquela sirigaita que nunca leu nem Neruda nem Lispector fora do Facebook, o desgraçado não economiza palavras. Gasta o verbo com a moça do caixa na cantina da faculdade. E eu aqui, mendigando pontuação nos seus pedaços de silêncio. Pera, tem vírgula aí? Você tá dizendo de conserto do verbo consertar ou de concerto de música? É claro que faz diferença! Não, eu não entendi, eu não entendo o que você não fala. Isso não é óbvio, me explica. Dá pra parar de ser tão mesquinho com as palavras? Sim, eu agradeceria um gráfico no PowerPoint; isso, pode desenhar. E pare de olhar praquela menina, olha só, nem passar delineador a guria sabe! Não é possível que você esteja interessado em alguém que, não bastando não saber passar delineador, ainda tente fazer gatinho nos olhos. E aquela atendente do Subway, hein, tinha olhos lindos mesmo, mas exagerou no splash da Victoria's Secret. Não é Vanilla, é baunilha, porra! Você fala português, então pare de norte-americanizar as palavras! Tô nem aí pro seu Ge-tê-a-cinco. Mas meu deus, tem mulher metida a gostosona até no videogame? E já não passou da hora de você largar de videogame? Eu sei que videogame não é mais coisa de criança hoje em dia, mas é que você passa tantas horas aí com esse treco, e, poxa, a gente podia passar esse tempo juntos, né? Tenho que ficar fazendo malabarismos pra chamar a sua atenção e ainda forjar uma dose de desinteresse, tudo em nome da sedução. E aí eu canso desse circo que eu tenho que armar pra você olhar pra mim, e te mando à merda, na certeza de que assim você vai se interessar por mim. É assim que funciona, né? Quando a gente não mostra mais interesse pela pessoa, ela fica louca pela gente, não é? Não é assim que devia funcionar a vida? Pois é, mas quando eu te mando à puta que o pariu você vai mesmo, e de repente tá lá todo contente, envolvido com mulheres que eu jamais escolheria, mas você fica feliz com elas, fica feliz de verdade. Aí eu saio com caras inteligentes e interessados em mim e tudo o que consigo fazer é gostar deles na medida em que penso que eles são melhores do que você. Oh, Deus, dai-me coragem pra pôr um ponto final naquilo que já acabou, porque eu tô cansada de maquiar pontos finais pra fingir que são reticências...

DIÁLOGO DOS QUE NÃO DERAM CERTO

Me diz onde foi que eu errei, meu amor.
Foi quando eu olhei aquela morena bonita?
Ou quando eu fiz a barba, que você tanto amava?

Foi porque quis dormir de conchinha numa noite
 de verão sem ventilador?
Foi na sexta-feira que perdi a hora tomando umas
 biritas?
Ou porque outro dia deixei escapar que tenho tesão
 pela sua cara de brava?

Seja lá o que for, meu amor,
Eu queria que você soubesse
que dei o melhor de mim

Me esforcei para não deixar viver em você nenhuma dor,
Fui com você em quermesse
E fiz até manjericão nascer no seu jardim.

É por isso que, embora eu esteja quebrando a cabeça,
Não consigo entender de jeito nenhum
Onde foi que eu errei

Te entreguei toda a felicidade que uma mulher pode querer numa bandeja
Mas não tive retorno algum
Seu amor eu não ganhei.

Meu amor que não conseguiu ser meu amor,
Que difícil explicar
O que não tem explicação!

Sei que nosso relacionamento era muito promissor,
Que deveria ser fácil te amar,
Que você era a minha chance de redenção.

Acontece que não aconteceu
E se você permite
Eu serei sincera

Eu pensei "pra mim já deu"
Não foi quando vi seu holerite
E nem quando olhei pro meu vizinho e pensei "quem me dera"

Eu desisti de tentar te amar
Quando percebi que você faria
tudo por mim

Que você estava a me idealizar
Que o mundo você me daria
Que a todo o meu querer você colocava um fim.

MORENA BERRANTE

Às sete e vinte da manhã e às cinco e quarenta e cinco da tarde, os melhores momentos do meu dia. Há sete meses eu tinha começado a trabalhar na construção dos vinte e três conjuntos do limoeiro, há sete meses eu tinha dois melhores momentos no meu dia – uma belezura. Desde que eu tinha conseguido me livrar da loira azeda e louca da Maria do Divino, nunca mais, por dois anos e meio, tinha conseguido ser feliz na vida, aquela mulher me atormentou demais a cabeça, mas finalmente Maria tinha se mudado pra casa da mãe dela, noutro estado, então, agora, eu tinha voltado a ter bons momentos, era uma morena a dona deles. Mulher imponente, com pele linda berrante, batom roxo berrante, vestido qualquer cor berrante, ela era toda berrante, mesmo quanto vestia bege e andava sem maquiagem – a presença dela, presença que era berrante. Eu sempre a reconhecia, desde a quadra de cima.

Certa vez, quando ela passava, meus amigos da construção gritaram "ei, gostosa, delícia", como se estivessem mesmo olhando pra ela, e não pra só mais uma. Ela, linda e imponente, sorriu, mostrando o dedo do meio da mão direita com sua unha de esmalte preto descascado. Depois disso, veio um abaixo-assinado da associação de moradores do bairro, e o nosso construtor contou que várias moças tinham reclamado da gente, dizendo que teríamos que parar de falar aquelas coisas pras moças que passavam se quiséssemos manter nosso emprego. Aceitei a bronca como se eu também a merecesse, porque, afinal de contas, eu merecia, já que ficava quieto quando aquelas coisas aconteciam. Bem, elas pararam de acontecer e eu fiquei bem aliviado, porque não queria marmanjo gritando grosserias pra minha morena berrante. Vez em quando ela se atrasava para o trabalho e eu ficava pensando se ela tinha perdido o horário, ou se eu é que tinha me distraído com os tijolos e tinha perdido um dos dois melhores momentos do meu dia. Aí, em seguida, ela aparecia, reluzindo o mundo, dando cores pra vida, trazendo música pro meu dia. Ufa! Todos os dias eu ensaiava umas mil e trezentas vezes, na minha cabeça, em como chegar pra falar com ela, em como ela poderia me esnobar ou se apaixonar por mim, em como seria o nosso romance, em como ela poderia abandonar o marido e fugir comigo e com seus filhos, ou em como ela poderia estar solteira à minha espera e nós estarmos perdendo tempo etc etc etc. Passei a anotar em meu caderno as coisas que eu sentia quando ela passava. Eram muitas coisas, meu deus, como aquela mulher mexia com as minhas tripas, era profundo, como eu queria largar os vinte e três conjuntos do limoeiro pra construir uma casa pra gente, uma vida pra compartilhar, um filho e uma filha na barriga dela. Um dia saí correndo da construção, faltando cinco minutos pra ela passar. Engoli um rabo de galo no bar na frente do ponto de ônibus dela. E a vi passar mais de perto. Outra vez fiz a mesma coisa e outra e outra e outra. Aí ela começou a me dar boa-tarde e a me olhar. Então, eu já estava tão apaixonado que não poderia continuar vivendo sem tentar falar com ela, vai que ela morre, vai que eu morro, vai que ela se muda, vai que a gente nunca mais se vê, essas coisas tagarelavam com voz estridente na minha cabeça, enquanto o rabo de galo descia queimando, e aí pulou da minha boca em voz alta "oi, morena", "oi", "tava te esperando", "pra quê?", "pra te chamar pra comer um bife à milanesa na sexta à noite", "adoro bife à milanesa", "até que enfim tu veio falar comigo", "você tá tirando onda com a minha cara, né?", "que nada, te espero aqui na sexta, mas sem rabo de galo antes, quero beber contigo", e aí, quando eu já não sentia mais meu corpo, porque tava tudinho formigando do jeito mais gostoso que eu já tinha sentido na vida, ela se aproximou de mim, me deu um beijo macio na bochecha direita, e uma suave brisa passou, fazendo o cheiro dela entrar pelas minhas narinas, e: era o cheiro da minha ex. Certeza, ela não só usava o mesmo perfume que a Maria do Divino, como a química na pele resultava no mesmo cheiro. Broxei pra todo o sempre.

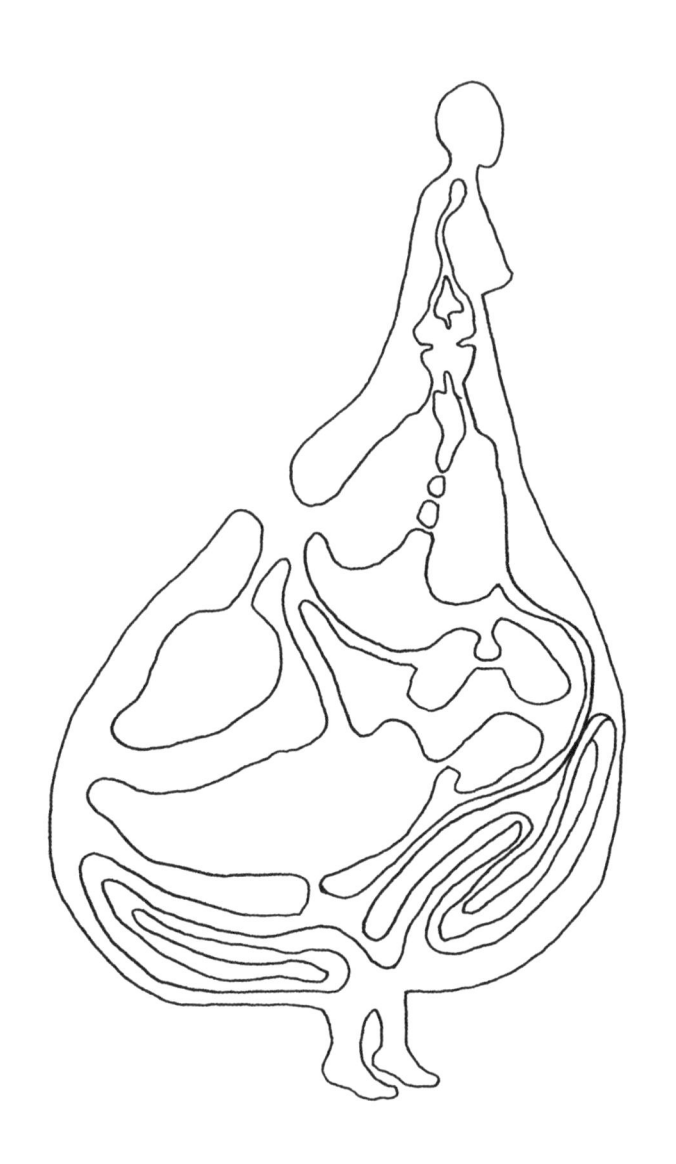

POR TE AMAR

É por te amar que recuo diante do seu amor. Tenho medo de ser engolido por você e tenho medo de me dar conta de que é disso que tenho medo. Então, pra não precisar pensar a respeito e consequentemente me assustar com os meus pensamentos, me afasto um pouco, pra poder me aproximar de novo em seguida.

É por te amar que te amo só de vez em quando. Pra que você possa se surpreender quando perceber o meu amor por você, pra que você não se acostume com ele e então ache que eu não faço mais do que a minha obrigação te amando. Pra que eu não gaste de uma só vez todo o amor que tenho por você. Pra que assim, guardado, ele renda e dure mais.

É por te amar que te dou notícias sem muitos detalhes do meu amor. Pra que você ache grande coisa o amor que eu tenho por você, que é tão preto e branco, que é tão parecido todos os dias. Pra que você não exija mais e mais de mim e então acabe se decepcionando com a minha falta-de-criatividade--amorosa-crônica. Pra que você não capture o fio de amor que te mostro e o siga até chegar na loucura-em-mim que o abriga.

É por te amar que deixo você pensar que você me ama mais do que eu te amo. Sua carência amorosa serve de escudo para mim. Se você – ou se eu – soubesse o quanto a sua presença é necessária para que o meu sangue continue correndo pelas minhas veias, por desejo e não apenas por obrigação, talvez você saísse correndo. Me alivia pensar que você não sabe o quanto é valiosa para mim, que eu guardo um segredo de você.

É por te amar que eu lido com o amor que sinto por você como se ele fosse dinheiro, como se fosse possível poupar um tanto dele para usá-lo em tempos de crise, como se você fosse me roubar, como se amar não fosse ter que escancarar os cofres ao outro e ser levado – por puro desejo – a investir em ações de alto risco sem ter a menor ideia de como está o mercado, a inflação, a taxa de juros e tudo o mais.

É por te amar que não escrevo este texto.

FANTASIA

Você foi embora e eu fui com você. Seria simples se o meu corpo não tivesse ficado aqui sem alma, perambulando por aí. Todo o meu pedaço encantado pela sua presença deixou de existir junto com você e tudo o que restou aqui foram tecidos, órgãos e células: minha existência foi reduzida a puro organismo, sem magia alguma. Tornei-me algo do tipo ~ o lado de dentro do meu fígado ~, se é que fígado tem lado de dentro. Tornei-me algo que nunca foi visto antes, embora já estivesse no mundo. Toda a minha existência, recoberta por você, apalpada por seus olhos, tocada por seus ouvidos, beijada por sua pele, sentida por suas papilas gustativas, etc etc etc, sente a sua falta. Nada em mim faz sentido viver se não for passar pela sua existência. Viver num mundo sem você me faz mais inútil do que capinha de guarda-chuva que se perdeu. Tenho pensado em tirar a minha vida, em me arrancar do mundo, em me aliviar da dor de viver num mundo onde você não respira. Se ao menos você tivesse me deixado filhos, eu teria motivos pra continuar ancorada nessa realidade gélida. Ontem eu sonhei com você. Você me traía com a garçonete bonitinha daquele café que eu gosto. Acordei com raiva de você. Que bom. Você me abandonou nesse mundo mesmo sabendo que eu só comecei a gostar de viver depois que te conheci. Sei que não morreu de propósito, mas isso só me deixa mais irada. Ter morrido mostra a sua impotência diante do mundo, com a qual eu tanto me identifico, e da qual eu me senti poupada diante da sua alegria de viver, que se transformava em força em mim, quando eu te olhava. Era tudo fantasia. Sempre foi tudo fantasia. O mundo não passa de uma sucessão de fantasias onde a gente faz as pessoas caberem nas nossas e se encaixa nas delas. É isso, se tem uma coisa que eu amei nesse mundo foi caber na sua fantasia. Mas sem você não tem fantasia pra mim. Retornei ao desconforto da minha própria pele. Nunca haverá uma casa tão aconchegante para a minha existência quanto foi morar de aluguel no seu desejo. Amanhã publicarei um anúncio no jornal: "procura-se olhos para morar, pago à vista".

DO QUE DÓI

Eu sempre soube que você morreria, que eu morreria, que todos nós morreríamos, mas eu nunca soube com a pele, sabia só com o cérebro, e saber com o cérebro é muito pouco. Tenho quase sentido sua respiração ao lado direito da minha nuca, perto do ouvido, a cada meia hora. Às vezes minha pele alucina a sua presença e se eriça toda. Dois minutos depois tudo dói mais que o normal. É como se cada célula do meu corpo tivesse um coração próprio, que, partido, tenta continuar bombeando sangue e com isso só faz agravar mais e mais a hemorragia que viver me tem sido. Sangrar sem sangue é dolorido demais. Outro dia acalmei o incolor, inodoro, insosso e insípido do sangue que (não) jorra da minha alma, com pequenos traços de gilete no pulso, na tentativa de fazer coincidir corpo e alma nem que fosse pela dor. O vermelho com gosto de chave quase me acalmou.

Custou uma semana de blusa de manga comprida no verão. Já não lembro o que fazíamos nos finais de semana e nem por que raios eu pensava em terminar com você. Agora parece que a nossa relação era perfeita. E era. E nunca mais vai ser.

    E eu nunca te disse isso. Mas você sabia. Sempre soube. Economizei palavras por medo de ser brega, de ser clichê, de te assustar e de me assustar. Mas você lia a minha alma. Era perito nas minhas entrelinhas. Agora você não precisaria fazer nada, não precisaria me amar, estudar, parar de fumar, conseguir um emprego melhor, nada disso. Eu só queria que você respirasse. Queria que você transformasse o oxigênio ao seu redor em gás carbônico, que você ligasse a minha parte óbvia à minha parte obscura. Você não precisaria ficar comigo, só precisaria estar vivo. Eu adoraria ser odiada por você ou ser uma palmilha que você tira do seu sapato novo porque ficou um pouco apertado, ou até mesmo ser o seu carregador de celular com mau contato que você tanto amaldiçoaria. Viver sempre me doeu, mas se tornou uma dor bem menos doída desde que te conheci. Não me deixe só nesse lugar com o qual nunca me acostumei. Ninguém, além de você, me parece familiar, o meu corpo nem sempre me parece meu, e os meus sentimentos, por vezes, parece que foram implantados em mim. O único ponto de conexão entre o meu lado de dentro e o meu lado de fora é você. Era você. Por favor, não morra dentro de mim. Não posso jamais me esquecer da música dos seus olhos ou da cor que o mundo tinha quando você ria. As lembranças que tenho de você são o único ponto de conexão que ainda tenho com a realidade.

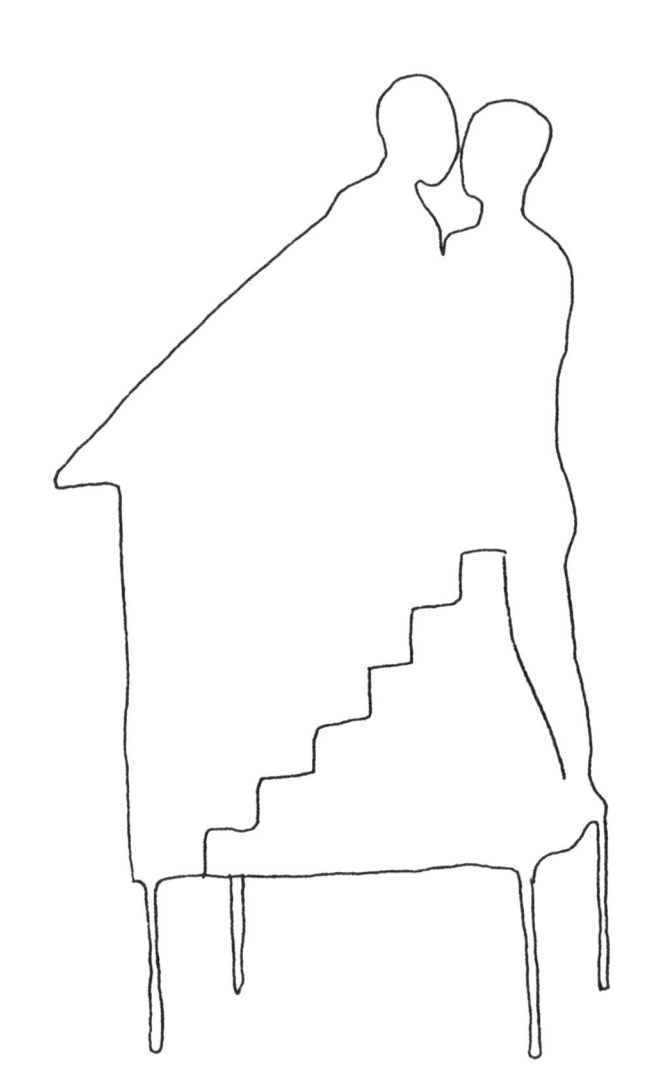

Parte 2
Às vezes o amor é casa de madeira

INTENSIDADE

Quem nunca teve
que se afastar
pra não se confundir com o outro
– e paradoxalmente se aproximou ainda mais –
não sabe o que é
intensidade.

PODE ACONTECER?

De um dia, ao tossir, eu me esquecer de colocar a mão em frente à boca e o amor que eu sinto por você se espatifar no chão.
    Pode acontecer.

De um dia você ouvir um comentário estúpido da minha mãe sobre o tempero do feijão e então imaginar que vou ficar rancorosa como ela e aí o seu coração ficar frio.
    Pode acontecer.

De um dia, ao virar a esquina, largarmos as nossas mãos para permitirmos que um poste ou uma pessoa ou a falta de amor passe entre nós, e a corrente de libido que liga o meu corpo ao seu ser arrebentada.
    Pode acontecer.

De um dia você me beijar o pescoço e eu (não) sentir o meu corpo a-morte-cer.
    Pode acontecer.

De um dia eu dizer uma palavra que não existe e você achar aquilo ridículo para todo o sempre.
    Pode acontecer.

De um dia eu buscar em você alguém que você nunca foi, mas que me permitiu delirar que fosse – e, então, não emprestar mais o seu corpo para isso.
    Pode acontecer.

De um dia você olhar pra mim e ver só a mulher que eu sou e não todo o harém que eu posso vir a ser, e isso, ao invés de te causar tesão como antes, te causar uma imensa preguiça de continuar cultivando a vida de todas essas mulheres-mortas-vivas que você me despertava diariamente.
    Pode acontecer.

Do sol se pôr pra lua brilhar e haver nuvens demais para que eles possam se ver.
    Pode acontecer.

De mim, distraída que sou, e você, estabanado que é, deixarmos cair o nosso amor, e ele se quebrar em vários pedaços, e de então nos faltar vontade para montar um mosaico com nossos cacos, e aí preferirmos buscar novos pedaços nossos em outras pessoas.

Pode acontecer.

De só algumas coisas acontecerem, e outras tantas coisas não acontecerem, para que algumas coisas aconteçam.

Nem tudo acontece.

SE EU SOUBESSE

Se eu soubesse que amo você
Por causa do modo como você pisca
Como se houvesse uma leveza universal
Presa entre os seus cílios de cima e os cílios debaixo
    dos seus olhos
Produzindo efeito hortelã em quem te vê piscar

Se eu soubesse que amo você
Por causa dos pequenos saltos que suas pálpebras
    dão enquanto você (me) lê
Causando em mim descobertas
Sobre as estrelas
Ainda que eu as esqueça trinta segundos depois

Se eu soubesse que amo você
Por causa dos segredos que os seus olhos contam
    aos meus
Enquanto mudam de cor por causa da luz

Transportando o pôr do sol do céu que é comum
   a todos
Para o céu da minha boca

Se eu soubesse que amo você
Só por causa
Dos seus olhos
Então
Eu não te amaria

LOUCURA SÃ

Há uma camada de
não sei o quê
que me impede de sentir verdadeiramente
o seu abraço.

Sua pele repousa sobre a minha
sem me atravessar, mas
eu queria
que me atravessasse.

Que nossas aortas se abraçassem
Que nossos intestinos se entrelaçassem
Que nossos cérebros se trançassem
Que as bocas dos nossos estômagos se beijassem.

E depois disso tudo eu queria que fosse possível
que eu recuperasse os meus pedaços.
Isto é meu, isto é seu.
Parte por parte.

Parece loucura, mas seria mais são
do que essa história de eu me misturar a você
mesmo embaixo
da minha própria pele.

ESCRITO SEM CORPO

Quando eu comecei a te amar
Quinhentas mulheres vieram morar em mim
E nessa eu engordei quatro quilos
Hoje eu já não sei
Sequer acho que posso saber
Se eu comia de felicidade
Ou se eu comia de angústia

Quando eu deixei de te amar
Mil mulheres deixaram de viver em mim
E nessa eu emagreci oito quilos
Hoje eu já não sei
Sequer consigo lembrar
Se o que eu sentia por você era mesmo amor
Ou se era só loucura

Quando eu morri
Mil e quinhentas almas saíram do meu corpo

Envolvendo-se nas poeiras dos móveis abandonados
Hoje eu já não sou
Sequer consigo lembrar
Se me fui mesmo
Ou se delirei toda uma vida

UMA PELE MIL PEDAÇOS

Não sei se foi o passar do tempo, se foi a violência da intensidade com a qual te desejei, ou se foi de tanto eu me esforçar em escapulir do meu corpo e pular pro seu, mas quando me dei conta a sua pele era minha também.

A minha pele sempre foi só minha, embaixo dela tive as crises existenciais mais doloridas e as alegrias mais absurdas. Te amei da forma mais solitária, porque morava sozinha no meu corpo.

Mas você já não estava mais sozinho, eu não permitia, e não era ciúme, era uma impossibilidade de ficar com todas as minhas partes só pra mim. Um pedaço meu sempre te continha.

Me dei conta disso quando numa noite quente de setembro um pernilongo picou a sua nádega direita, e coçava em mim. Teve aquela vez em que você teve gripe e eu fiquei com febre. Quando você tomava banho, sentia o meu corpo se molhar.

Quando você beijava outras bocas, eu sentia a minha boca salivar. Isso sem falar na sua gastrite, que doía no meu estômago. Tive conjuntivite com você e sofri de uma imensa felicidade quando você foi promovido no seu emprego.

Eu suportava contente isso de viver para além do meu corpo. Eu estava feliz de ter essa conexão obscenamente carnal com você. Aí você decidiu ir embora.

Sua pele engatada na minha e eu não sabendo separar o joio do trigo. Quando você se foi, minha pele – que era a sua – esticou, esticou, esticou, até que a minha pele saiu do meu corpo e foi embora com você. E, como a minha pele era uma espécie de saco pra minha existência, me parti em mil pedaços. Agora estou aqui, aqui, ali, ali e mais pra lá também. Estômago na sala, coração na cozinha, um punhado de fios de cabelo no corredor, fêmur no escritório, pulso em cima do fogão, ombro embaixo da televisão, tatuagem de flor pendurada no lustre, sangue, excrementos, ossos. Exposta, esparramada e aliviada. Que bom não precisar mais ser inteira. Ser aos pedaços me é mais autêntico.

A VIDA

O pingo de chuva que não cai, a declaração de amor que não vem, o filé que passou do ponto, a piscadinha que não foi pra mim, o carinho que fez cócega, o beijo que não foi aquele, a pipoca que acabou, o banheiro que tem fila, a fralda que foi batizada imediatamente a seguir da troca, a batata palha que tá linda, mas mole, o sal que excedeu, a coceira cuja unha não encontra a fonte, a ostra que quase abre, a gaveta que quase fecha, o texto que quase entendo, o insight que não chega, a vida é quase isso.

A GENTE SABE

A gente sabe que um sorriso amarelo não é mesmo amarelo, a gente sabe que não vê igual ao outro, a gente sabe que o vestido preto e azul e o vestido branco e dourado são o mesmo, a gente sabe que não dá pra dar nome pro negócio que a gente sente quando ouve Janis Joplin, a gente sabe que não há palavra adequada pra dizer a quem enterra um ente querido, a gente sabe que não dá pra agradar a gregos e troianos ao mesmo tempo, a gente sabe que há certos fins que não há como evitar, a gente sabe que os nossos limites nos salvam, a gente sabe que a fagulha de amor que eventualmente uma pessoa possa sentir pela outra só pode ser acesa com amor-próprio, a gente sabe que manga com leite faz mal só porque disseram que faria mal e que se ninguém tivesse dito que faria mal jamais o faria, mas a gente sabe o poder da palavra e não mistura manga com leite, a gente sabe o poder da palavra e a chama de maldição ou de

praga de mãe, a gente ensina o poder da palavra pras crianças com abracadabra e abre-te-sésamo, a gente sabe que a condição para falarmos algo é que a coisa dita não seja verdade absoluta, e a gente sabe que é desonesto dizer coisas que podem ser ouvidas como puro equívoco, a gente sabe que a nossa existência depende das palavras que moldaram o nosso corpo e o nosso modo de ver o mundo, a gente sabe que entre a nossa existência e a do outro um abismo vibrante rebola, então a gente entope esse abismo com mal-entendidos, pedidos de amor e de reconhecimento, carboidratos, álcool, diploma, fotos, notas musicais e coisas que a gente diz que sabe, mas não sabe se sabe mesmo, porque até sabe que sabe, mas só sabe
  b
  e
  m
  l
  á
  n
  o
  f
  u
  n
  d
  o
  .

COLAR DE PÉROLAS

Ela abriu seu porta-joias e encontrou seus cordões embaraçados. Era um colar de pérolas-fake, da lojinha de uma esquina qualquer, e uma correntinha de ouro bem fininha, herança de sua avó materna.

Se ao sair de casa, pela manhã, os colares estavam organizados, se a casa havia estado vazia o dia inteiro, como eles haveriam se embolado de tal maneira? Lembrou das fantasias infantis que tinha, de que suas bonecas tinham vida e se comunicavam e faziam festas e contavam umas para as outras os segredos do universo enquanto ela dormia ou não estava em seu quarto.

Lembrou do moço que lhe perturbava o coração, pois tinha bastado uma aproximação sem testemunhas, que eles também se enrolaram. Mais de alma do que de corpo – e olha que teve enrolação de corpo pra caramba.

Ao retirar os nós, afrouxando-os delicadamente, era tentada por uma imensa vontade de arrebentar aqueles colares, de escutar o barulho das pérolas rolando pelo chão, de liberar aquela corrente dourada tão delicada daquelas bolas brutais.

Pensou que era assim também o rompimento com o moço, pois também se tratava de afrouxar os nós ao invés de arrancá-los.

O difícil não é se livrar dos nós, o difícil é afrouxá-los até alcançar um ponto em que se possa desfazê-los sem desmontar as joias. E aí se pode enfeitar o pescoço de quem quiser.

O difícil não era se livrar dos nós que tinha com ele, o difícil era não se arrebentar no processo de desatar. Quando dois fazem um, mesmo que por instantes, há que se pagar por isso, nunca mais se é o mesmo.

Que lindo, ela pensou, imaginando que escreveria uma crônica sobre o processo de se desatar do outro e aí ser feliz.

Mas, quando finalmente liberou o colar de pérolas da corrente, viu que a corrente estava toda enrolada em si mesma. Enquanto o colar de pérolas-fake estava ali, imponente e pronto para outro pescoço, a correntinha delicada estava cheinha de nós nela mesma.

Por um instante, a moça, identificada à corrente sentiu dó da mesma. Mas em seguida reparou que havia uma uniformidade entre um nó e outro, fazendo com que os nós se parecessem com pingentes. Foi aí que viu que a corrente estava ainda mais bonita do que antes. Era uma corrente com cicatrizes.

Quem se apropria de suas marcas é mais bonito.

CÉLULAS

O uivo do vento à beira do ouvido, a respiração do outro à beira do coração, o gelado do sorvete se infiltrando nos incisivos, o beijo que não se encaixou, mas talvez na próxima, o desejo insistente que mudou de lugar. De 7 em 7 dias ou de 7 em 7 anos ou não sei de quanto em quanto tempo – as nossas células se renovam, então não há nenhuma célula minha que tenha nascido comigo. Como saber que eu ainda sou eu? Por que ainda respondo quando chamam meu nome? Quanto tempo terei que viver para que você não tenha tocado nenhuma parte do meu corpo? Mas há algo em mim que não esquece, algo que insiste, mesmo quando algo se desloca. O uivo, a respiração, o gelado, o beijo, o desejo – tudo o que vivo é para sempre até que eu morra. Ainda bem que se morre.

PONTO DE LOUCURA

Há um instante em que, para ele,
todo o esforço para se adaptar à sociedade,
para seguir regras e realizar rituais,
para falar em um tom de voz adequado,
escorre pelo ralo.
Há um momento em que, para ela,
ser politicamente correta,
cuidar com as consequências,
evitar os abismos,
deixa de fazer sentido.
Há um ponto nele
Que vez ou outra ela ativa,
Que o faz confundir o chão com o teto
E desperta nele um impulso a se afastar para não
 perder o contorno do seu corpo
Sem que ele mesmo saiba por que se afasta.
Há um ponto nela
Que vez em quando ele toca,

Que faz do seu avesso o lado
Em que ela se reconhece no espelho
Sem que ela mesma saiba que está do avesso.
Há um tipo de fio invisível, que não está no iCloud, na nuvem nem no Dropbox, que os conecta
Quando esse fio é puxado, ativa-se uma região primitiva nele e nela,
que não é ele mesmo, que não é ela mesma,
mas que ao mesmo tempo é mais ele mesmo e é mais ela mesma,
do que ele mesmo e ela mesma.
Há um ponto de loucura no ser humano,
um ponto que é intolerante à realidade,
que se recusa à adaptação – não importa se dura há dez minutos ou há cinco décadas,
um ponto de uma insanidade que é socialmente aceita
e que atende pelo nome de amor.

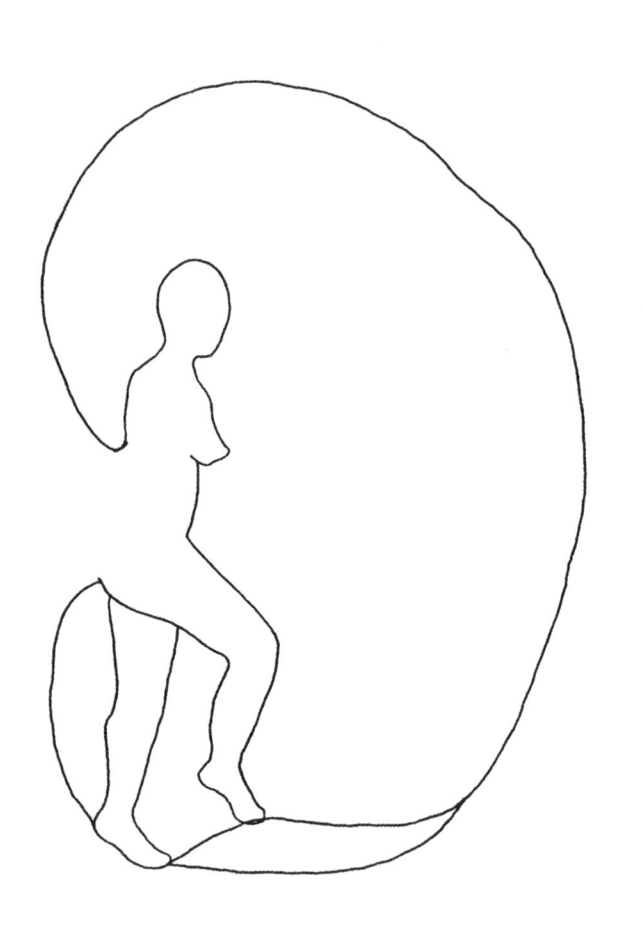

CAMINHO

Talvez amar
seja como
se perder de si mesmo
e esquecer de propósito
o caminho de volta.

CAÍDAS

Pra te esquecer fui dormir. Dormir é bom, faz passar as horas. Faz passar algo mais junto com as horas. Faz passar a culpa que sinto por pensar tanto em você, porque, mesmo quando sonho com você, ao menos não sei que estou sonhando, penso que é de verdade – e então paro de me chicotear mentalmente.

Embora meus olhos estejam fechados há duas horas, dezessete minutos e alguns segundos, meus pensamentos gritam cada vez mais alto, chicoteiam a minha nuca e escrevem a palavra culpa por todo o meu corpo. O tempo parece não fazer efeito ao passar por mim. Envelheço, mas esse troço que sinto por você parece estar envolvido em formol.

Eu queria sair de casa de pijama e descalça, mas é perigoso e o meu senso de realidade infelizmente está quase sempre muito aceso. Então sento na sacada e olho para o céu, na tentativa de me lembrar do quão imenso é o universo para além da minha cabeça ridícula que só pensa na sua mísera existência. Mas meu olhar se encontra com uma estrela que, com seu brilho, me traz a certeza de que você também a olha, e me olha por meio dela. Cruzo as pernas de modo mais suave, para que as celulites das minhas coxas não fiquem tão evidentes aos seus olhos e fumo um cigarro imaginário. Dentro da minha cabeça, escuto um 'sua idiota, ninguém pode te ver por uma estrela'. Eu queria fumar de verdade, mas sou muito apegada aos cheiros das coisas para me viciar em algo que me marca pelo olfato de modo tão profundo. Merda, o olfato!, me lembrei do seu cheiro. Entrava pelo meu nariz e acabava com a minha memória. De repente eu não sabia mais por que estava chateada com você ou como tinha conseguido te odiar nos segundos anteriores.

O seu cheiro sempre acabou com a minha memória e com meu aceso senso de realidade. Agora, a lembrança do odor que seu corpo exalava já é o suficiente para me tornar uma idiota – e uma idiota por me sentir idiota. Nada contra ser idiota, eu só queria ser sem poder sentir que sou.

Meu apreço pela realidade nunca me permitiu voar verdadeiramente. Me lanço em voos babacas, pois não me permito tirar os pés do chão. Me jogo em mergulhos ridículos, onde faço força para afundar e para voltar à superfície ao mesmo tempo.

Apago o meu cigarro imaginário e o lanço mentalmente na grama, prometendo a mim mesma que o jogarei no lixo no dia seguinte, enquanto me culpo mais um pouquinho por talvez esquecer de fazê-lo. O cigarro é imaginário, mas a culpa é real.

Finalmente desisto de lutar contra as minhocas da minha cabeça, então relaxo e quase escuto você chamar meu nome e apenas acredito no que quase ouço, deito na cama, imaginando que o meu corpo se encaixa entre sua barriga e sua coxa, como se fôssemos duas peças de Lego, agarro mentalmente o seu pé esquerdo com os meus dois pés, te deixo cheirar a minha nuca, a palavra culpa que está ali é ninada pelo desejo que sinto por você – e assim durmo o sono dos deuses.

Amanhã tento te esquecer mais um pouco.

CARTAS COMIDAS

Desde que você foi embora a quedinha que tenho pela morte desde a adolescência tem se transformado em um sedutor abismo.

Amar é ser convocada à beira do abismo. Não se trata de pular, mas de reconhecer a importância da terra firme que o antecede. Também não se trata de ficar de costas para o abismo, mas de flertar forte com ele.

Enquanto você correspondeu ao meu amor, foi fácil e lindo flertar com o abismo. Depois, em algum momento que não sei qual foi – talvez num jantar em que palitei os dentes, talvez numa declaração de amor um pouco exagerada que você fez no final da noite do meu aniversário e eu interpretei como culpa – em algum momento você deixou de me amar e passou apenas a gostar de mim. Desde então, a morte tem dançado pra mim. Enquanto você estava aqui ao meu lado, eu estava demasiadamente interessada na sua vida e no mistério da sua frieza para prestar atenção nas dancinhas da morte. Mas, desde que o seu corpo se afastou decisivamente do meu, só consigo assistir aos stripteases da morte. Tão sedutora, me convida a gritos sem sentido, a faltas no trabalho, a crises de ausência em conversas interessantes com pessoas queridas, a um vazio nas minhas ações que só consigo nomear como preguiça de viver.

Ontem peguei um estilete e fiz três pequenos cortes na coxa direita, tal como eu fazia na adolescência. Não surtiu o mesmo efeito. Foi-se o tempo em que, ao cortar a minha pele, a dor na carne me convocava ao real do meu corpo, distraindo-me da dor de existir. Nos dias de hoje, a dor de existir sem você é absurdamente maior do que a dor de me cortar. Vejo aí um perigo.

Não quero morrer, quero viver. Mas como não ser apaixonada pela morte, quando a dor de viver se mostra tão potente ao reverberar pelo meu corpo?

Já se passou uma semana, dois meses, três anos e as coisas continuam iguais aqui dentro de mim. Sinto uma urgência em fazer algo com o vazio que faz casa nos órgãos do meu corpo, no entanto, só encontro uma paralisia que come os meus dias. Sinto meu corpo apodrecer lentamente, meu tempo de vida está escoando pelo ralo.

Na tentativa de entender o que está acontecendo, todos os dias eu reescrevo as três páginas da carta que você me deixou ao ir embora (e eu decorei), e então a como. Engulo com café preto sem açúcar. Depois tenho dor de barriga.

As suas palavras ainda me fazem muito mal. Nada de diferente acontece.

Pela primeira vez nesses três anos escrevo por minha conta e risco. Aqui sou eu escrevendo como eu mesma, e não eu reescrevendo as suas palavras. É uma novidade. Duvidei de que isso poderia acontecer. Mas para onde enviar esta carta? Talvez eu a coma também. Nesses anos todos – e agora já tem mais tempo que estamos separados do que o tempo que passamos juntos – vivi na sua luz. Fiquei na sua sombra desde que você se foi. E aqui estou, rastejando em mim até encontrar um ponto de luz aqui dentro.

Sonho com o dia em que, ao terminar de escovar os dentes, despretensiosa e sonolenta numa manhã qualquer, eu cuspa a palavra "amor". E passe a ficar instantaneamente bem, tal como quando se vomita ao álcool, ou às palavras. Enquanto esse dia não chega, tomo banhos cada vez mais caprichados e emagreço muito – na tentativa de desimpregnar você de mim.

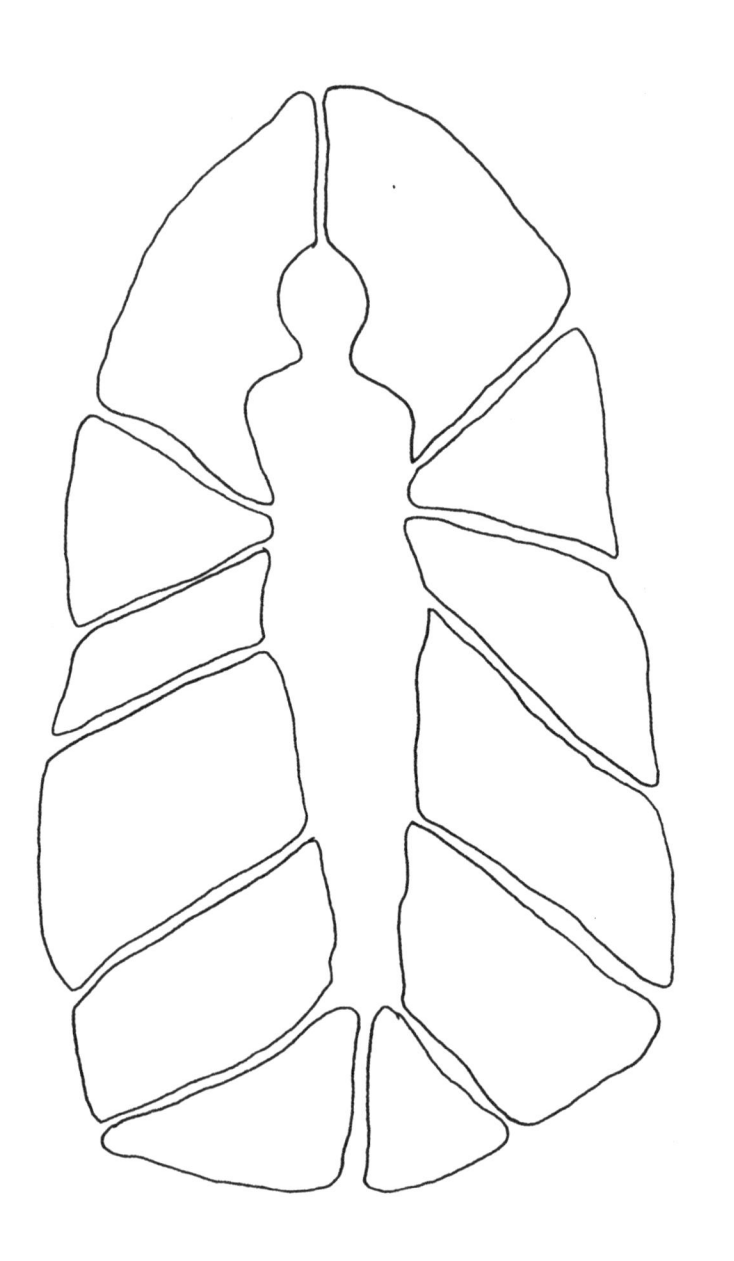

NO MEU AGUARDO

Havia uma linha entre nós, um fio invisível que nos conectava e que ninguém via, mas nós o sentíamos e o chamávamos de amor. Esse fio se rompeu. Foi doído, foi difícil, mas o fio se rompeu. Assumir que o fio estava rompido, ao invés de ficar negando o seu óbvio rompimento, foi libertador.

Desde que o fio se rompeu acho que a parte dele que me conectava a você foi embora também. O rompimento do fio levou um pedaço de mim. Hoje me dói algo não como presença, mas como falta. Como posso sentir dor por algo que não está? A presença da ausência se esfrega em meu corpo. Quase confundo a saudade de ser quem eu era com a saudade de você.

Por isso, venho por meio desta carta lhe pedir que me devolva. Suporto bem ficar sem você, mas preciso de todos os pedaços de mim aqui comigo. Então, por favor, traga aqui o pedaço meu que ficou com você. Eu não sei qual é, mas acho que, se você se olhar com atenção, deve perceber que tem um pedaço a mais aí, que sou eu. Pode deixar na portaria, pode enviar pelo correio, pode mandar por e-mail, por inbox, pelo WhatsApp, por telepatia, por-sei-lá-como, mas, por favor, me manda o pedaço meu que não está aqui. Não sinto saudades de você, torço por sua felicidade, quero que você se dê bem com todas aquelas moças que eu amaldiçoei e chamei de vagabundas váááarias vezes, mas é sério, preciso de mim aqui comigo.

Desde já, agradeço pela atenção e fico no aguardo do meu retorno!

Abraços.

QUEM AMA E É AMADO NÃO PRECISA ESCREVER

suas mãos imitam roseiras e ora me deliciam, ora me arranham.

quando me arranham, não são arranhões visíveis, são arranhões que se vê com os olhos da alma.

isso é brega, isso é muito brega, 'olhos da alma' é o que há de mais pobre no universo das palavras.

metáforas de pétalas e espinhos de uma roseira são metáforas medíocres que deveriam expulsar do mundo da literatura a pessoa miserável e ousada que se põe a utilizar essas figuras de linguagem.

mas quando suas mãos me caem como pétalas, quando me põem em delícias, eu realmente não posso pensar em outra metáfora.

não porque eu não possa encontrar outra metáfora, sei que cognitivamente eu posso.

é que não me interessa pensar em metáforas inteligentes quando estou em estado de delícia.

quando as suas mãos contornam meu corpo, quando suas mãos emolduram os meus pedaços, não me interessa encontrar uma boa palavra ou uma analogia bonita para o que quer que seja.
que se dane a morte, os finais, a linguagem, os paradoxos, os ouros, a vida.
só posso escrever em estado de falta, de arrancamento em mim, de excesso, de esquisitice.
seu toque me mortifica para a escrita.
o estado de maravilha que me causa ser apertada por suas mãos, por suas coxas, por seus lábios, por seus olhos, por seus furos, por seus excessos, me encaixa na minha existência de modo que mor(r)o na linguagem.
ainda bem que você não pode me tocar inteira de uma só vez, ou então eu nunca mais escreveria.

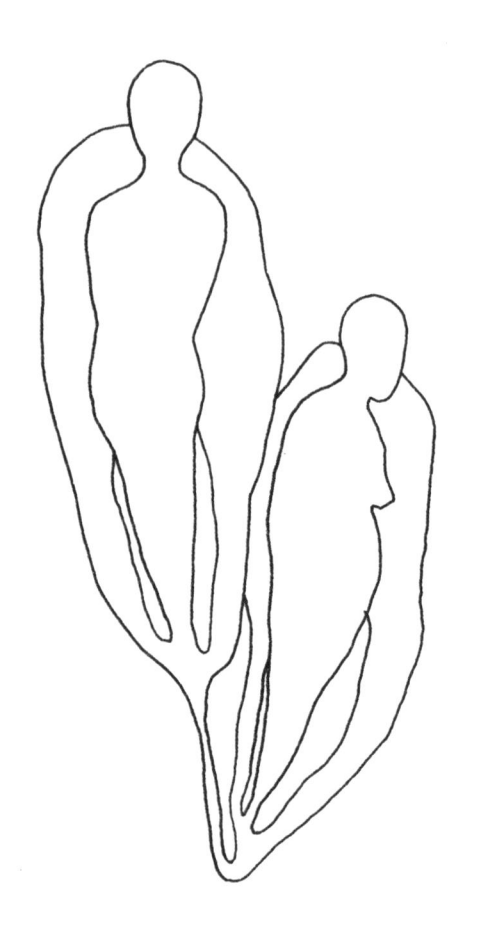

MORADIA

Eu quero morar no seu sim
Onde os sabores explodem na sua língua
Onde o seu corpo se movimenta em direção ao meu
Onde seu beijo estala
Eu quero morar no seu sim
Na completude do seu abraço
Na palavra plena que pula da sua boca
Nas consequências que você causa no mundo
Eu quero morar no seu sim
Nas cordas do violão que você não sabe tocar
No desafinar da sua voz animada
No hálito que sai da sua boca em direção a um saxofone imaginário
Eu quero morar no seu sim
Na letra da canção ridícula que você inventou
Na piada quase-boa que você contou
No seu trocadilho besta que misteriosamente desperta partes novas no meu corpo

Eu quero morar no seu sim
Na parte sua que se abre pra vida
Que descobre lugares em coisas e coisas em lugares
E coisas, cores em lugares no meu e no seu corpo
Eu quero morar no seu não
Diante do que se repete à toa
Para aquilo sem razão de ser
No não fundamental que faz nascer tantos sim's.

OUTRA

Ela pinta os lábios para escrever a angústia – vermelha.

Delineia os olhos para marcar a impossibilidade de ver tudo o que olha – limitada.

Cora as maçãs das bochechas para forjar um rubor – sem-vergonha.

Mascara os cílios para disfarçar a sua fome de pessoas – necessidade.

Perfuma as partes mais quentes do corpo para disfarçar o cheiro de morte que seu corpo carrega – santa.

Adesiva os seios, juntando-os, para distrair os olhares dos seus olhos – medrosa.

Finge que esconde, mas mostra o corpo, com o cetim mais discreto que encontrou – dissimulada.

Muda o ponto de equilíbrio de todo o seu corpo acrescentando dez centímetros de altura no calcanhar – outra.

Ele a olha e a bagunça toda – exposta.

A PALAVRA ESCRITA É O CONTORNO DE UM VAZIO

A menina soube disso prematuramente, por isso tinha crises de pânico diante de algumas palavras, mas ninguém entendia qual era a lógica dos seus episódios de angústia.

"Amor", por exemplo, lhe fazia semimorrer de desespero, mas "mímico" era uma palavra que a salvava.

Quase todas as palavras causavam prisões nela, e por mais que a menina dissesse que tinha alguma coisa em "xícara" que desencadeava um estado de coma provisório em sua alma, e que tinha alguma coisa em "tim-tim", que lhe beijava o coração com hálito de hortelã – não sabia explicar qual era a relação entre as palavras e o seu corpo.

À medida que foi sendo alfabetizada, descobriu que as letras cursivas eram muito diferentes das letras de forma. Percebeu que as letras "f" cursivas lhe sufocavam, mas que as letras "f" de forma lhe libertavam.

Depois, a criança foi descobrindo que cada um tem um jeito próprio de escrever, que há toda uma vida de liberdade depois da fase dos cadernos de caligrafia, que a escrita serve pra fazer laço com o outro, e que então, desde que as pessoas possam ler o que a gente escreve, dá pra escrever de muitos jeitos.

Aí ela fazia a letra "a" sem fechar a bolinha, a letra "o", a letra "q", a letra "g"... em todas as letras ela deixava sempre uma portinha pro vazio sair, se assim quisesse.

E desse jeito a mocinha foi crescendo e perdendo o medo das palavras, pois foi descobrindo que, se estava angustiada, bastava escrever a palavra "angústia" com os buracos das letras "a" e "g" bem escancarados.

Alguns diziam que ela tinha a letra feia, mas ela não se importava, porque sabia bem que a possibilidade de dar liberdade para os vazios nas letras era o que lhe mantinha saboreando a vida a partir dos seus próprios vazios, que na escrita escapavam dela.

O SUSTO

Aconteceu como num susto. Como um susto que você está esperando, mas que nem por isso assusta menos. Ele ouvia histórias de amor desde pequeno. Aos 4 anos de idade pediu a mãe em casamento, e desde então as pessoas lhe repetiam "um dia você vai se apaixonar, vai casar, vai ter filhos". Mas, quando aconteceu de se apaixonar, foi como se nunca ninguém tivesse lhe avisado. O amor é como a morte, o recebemos com surpresa, ainda que chegue com data e horário marcados. E nunca nos acostumamos com ele. As crianças lidam melhor com as coisas difíceis do mundo: o amor e a morte. Quando pequeno, o avô morreu. Os adultos sofreram muito até poder lhe contar, e só conseguiram fazê-lo depois do velório do senhor. O menino sofreu mais por não terem lhe contado antes do que pela perda do avô. Aos 6 anos de idade se apaixonou por uma mocinha da escola. Depois pela professora. Depois pela amiga da mocinha. As pessoas lhe diziam "isso é coisa de criança, logo passa". E passava mesmo. De mulher para mulher. Crescido, chegou à conclusão que amor é sempre coisa de criança. Se sentia um bebezão falando com a amada. Logo ele, sempre tão autossuficiente e metido a machão, ao falar com ela, carregava a voz de um gosto doce que só as crianças conhecem. Gostava de cafuné na cabeça e de chamar a amada por apelidos toscos. Às vezes se flagrava tão sensibilizado, tão vulnerável à existência dela, que precisava se virilizar. Tinha medo de que ela o engolisse com a sua alma, tal como uma sereia faz com o seu canto. Então saía com os amigos, bebia, arrotava, olhava de forma agressiva para as mulheres ao redor, falava de futebol e de ações e voltava todo cheio de macheza pra casa. E, segundos depois, se tornava discretamente delicado novamente. Não cansava de se assustar com isso. De vez em quando a mulher reclamava que ele era estúpido, grosso, mal-educado. Ela não sabia, mas era necessário ser ríspido para que ela não lhe engolisse e ele se tornasse todo delicado. É verdade que ele não a amava o tempo todo. Em alguns momentos desejava que ela sumisse, ou que nunca tivesse aparecido em sua vida, e esse sentimento lhe fazia bem, lhe fazia se sentir forte e completo. Mas no minuto seguinte era pego desprevenido, se assustava com o amor que sentia por aquela mulher. Maldita, como consegue me fazer desejá-la tão ardentemente mesmo sendo tão chata? E era sempre assim, dia após dia, mês após mês, ano após ano. Nunca se acostumou a amá-la. Até que um dia ela morreu. Ele se assustou com a morte dela, sofreu, sofreu e sofreu muito. Depois se assustou ainda mais quando se sentiu vivo se apaixonando por outra. E se assustou ainda mais, porque era de novo como se fosse a primeira.

(E talvez fosse).

A MENINA E O PONTO DE INTERROGAÇÃO

Pra que arrumar a cama de manhã se à noite irei desarrumá-la de novo?

Por que passar um pano pra secar a louça se ela seca sozinha?

Por que ir se depois vou voltar?

Por que comer se depois meu corpo vai expelir?

Por que amar se depois vou desamar?

Por que viver se depois vou morrer?

A menina perguntava e ninguém lhe dava respostas satisfatórias, só irritava os adultos ao seu redor. E se os irritava era menos pela sua chatice e mais pelo seu atrevimento em fazer perguntas que não eram possíveis de se responder. E olha que ela não se recusava a fazer essas coisas, arrumava a cama, secava a louça, amava, vivia, era uma boa menina, mas queria saber por que as coisas eram assim.

Com o tempo a menina foi aprendendo a guardar a sua chatice para si. A isso chamou de solidão. Então a menina era uma perguntadora solitária. Fazia questões para si mesma o tempo todo e era muita atenta aos olhos das pessoas à sua volta. Era capaz de reconhecer de longe os olhos de um perguntador. Algumas vezes essas pessoas lhe irritavam, porque a faziam perceber o quanto é inconveniente quando alguém fica questionando as coisas que com muito esforço ela já tinha varrido pra debaixo do tapete que ficava na sua cabeça. Outras vezes ela se apaixonava por essas pessoas, porque faziam perguntas nas quais ela nunca tinha pensado antes.

E a menina virou moça, senhorita, senhora, chegou à terceira e à quarta idade e seguiu vivendo. Se casou 3 vezes, teve 2 filhos do primeiro marido, ficou viúva do segundo marido e vive hoje um pouco feliz da vida com o terceiro marido. A menina perguntadora vive ainda em seus olhos e a isso ela chama de juventude. Ontem ela disse pro seu neto que só tem sentido arrumar a cama se for pra desarrumar depois, porque é muito gostoso poder desarrumar as coisas e só se pode desarrumar aquilo que está arrumado. A senhorinha já não seca as louças da sua casa desde que saiu da casa da mãe, há muitas décadas, e usa a desculpa de que é pra não ficar pelinho da toalha. Descobriu que é muito bom poder ir, mas é melhor ainda quando se sabe que pode voltar, ainda que não se volte, principalmente quando não se volta. E que comer é bom demais para saciar a fome para sempre, então tornou-se grata ao sistema digestório e também ao excretor, por sempre permitirem que ela voltasse a ter fome. E ela amou e desamou e viu que alguns amores são tão doloridos que se curar do amor é melhor do que amar. E a senhorinha sonha com o dia da morte, e, quanto mais perto desse dia ela chega, mais viva se sente.

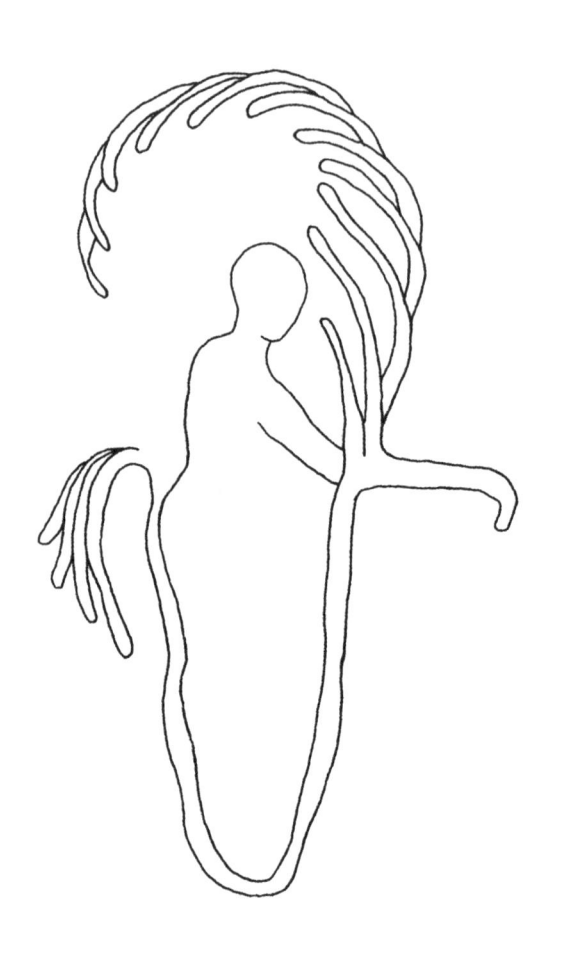

ERA UMA VEZ UMA MOCINHA QUE PENSAVA QUE AMAVA O SABER, MAS NA VERDADE AMAVA O QUE NÃO SABIA

Então, a mocinha ficava indo atrás do saber pra lá e pra cá. Não pelo próprio saber, mas pelo não-saber. Porque é só indo atrás do que se pode saber que se pode encontrar aquilo que não é possível saber. Assim, cada vez mais, ela queria, ainda mais, saber. E, quanto mais sabia, mais descobria que não sabia. E assim a menina seguia, se apaixonando e se satisfazendo através da celulose das páginas dos livros e dos cadernos, deixando seus olhos brilharem pelas canetas coloridas, com purpurina, foscas, grudando adesivos velhos de anos anteriores em cadernos novos e ficando excitada com cheiros de sebos e de papelarias.

Foi num belo dia de inverno, com cheiro de primavera e folhas caindo como se fosse outono, que pela primeira vez o corpo dela fez verão. Foi assim, ridículo, de um jeito que dá até vergonha de dizer. Então eu não vou dizer, mas o fato é que ela riu, como se não houvesse amanhã, de uma piada ruim, ruim, muito ruim, que ele contou. Então ele pensou "ela tá na minha". E ela pensou "que bruxaria é essa que me faz rir desse jeito e ficar roxa como uma amoreira, mesmo diante de uma piada tão sem graça"?

E, porque ela queria saber o que acontecia, ela topou sair com ele. E, porque ele achava que ela tava na dele, mas não tinha certeza, contou piadas melhores. E, porque o corpo dela só sabia rir pra ele, mesmo quando o cérebro dela insistia em racionalizar tudo, ele se tornou o não-saber favorito dela. E, porque ele podia encarnar não-saber-alguma--coisa-ao-ser-olhado-por-ela, a mocinha tornou-se para ele o oxigênio da vida. Só que ela não sabe disso. E nem ele.

NUM E NOUTRO SEGUNDO

Num segundo tudo vai bem e noutro a vida escorre pelos dedos. Basta um instante pra gente se lembrar que a vida não nos dá garantia alguma. As alegrias estão irreversivelmente amarradas à sorte, tal como só há mar se tiver lua, ainda que a gente não veja a lua sempre que olha pro mar. Penso nisso enquanto falo com você, saboreando cada palavra na língua por três segundos antes de a expelir no ar, em direção aos seus ouvidos. Eis a minha tentativa de não estragar tudo entre nós. Preciso pensar, preciso ser coerente, preciso falar num tom de voz agradável. São tantas as coisas que preciso que, na imprecisão de tudo, encontro conforto no silêncio. No silêncio estou segura, não estou sendo desequilibrada como a minha mãe, nem louca como a sua ex, e também não estou produzindo material pra você jogar na minha cara na próxima discussão. As palavras que saem da sua boca estão intoxicadas.

Não param de produzir diferentes tipos de mal-
-estares-em-mim. A raiva queima em meu peito e é
capturada pelas teias do silêncio, impregnando-se
nas superfícies de dentro de mim mesma. Uma vez,
duas, três, cento e trinta e quatro vezes acontecem
isso. Lembro da voz do meu analista dizendo que
estou consentindo com o envenenamento que as
suas palavras causam em mim, oferecendo lugar
para elas morarem, sem sequer cobrar aluguel,
condomínio ou IPTU. Penso que na última sessão
saí decidida a não permitir que isso acontecesse
mais, mas agora fico achando que ele só disse isso
porque é homem, não sabe o quanto é dolorido
amar sendo mulher. Começo a odiar um pouquinho meu analista e fico pensando se não é isso a tal
da transferência, direcionar um afeto ao analista,
quando não era bem pra ele que se devia dirigir o
sentimento. Sentir um pouquinho de ódio, ainda
que pela pessoa errada, faz com que eu me sinta um
pouco melhor. Talvez a análise esteja funcionando.
Uma palavra embalada em ira pula da minha boca,
você grita, sinto que o chão treme embaixo dos
meus pés, mas a palavra diz exatamente aquilo
que eu quero dizer. Então, a repito num tom de
voz mais alto, hipnotizada pela sensação de êxtase

que tenho, consequência do caminho labiríntico que a palavra faz dentro do meu corpo para sair de mim, desviando das paredes de silêncio. Descubro que sua raiva não desintegra meu corpo. Paradoxalmente, assim você me ama mais. Num segundo tudo vai mal e noutro o mundo parece recuperar sua potência.

SORRY

Tão linda, saiu de dentro de mim. Uma versão minha muito melhor do que eu mesma. Mais jovem, mais bela, mais inteligente, mais amada. O meu melhor pedaço não está em mim, pensei sem perceber, logo que você se encaixou nos meus braços. Sempre duvidei desse mito do instinto materno, da mãe que se sente absolutamente e eternamente completa depois de ter um filho, dessa saída freudiana de que se compensa a ausência do falo no corpo com um filho. Assim que você nasceu, pá!, senti que as minhas desconfianças faziam sentido. Mas é claro que titubeei antes. Não teve como eu não me sentir completa ao testemunhar a exímia beleza dos seus olhos brilhando ao olhar o mundo pela primeira vez. Encontrei um pedaço da felicidade eterna sentindo o toque da sua pele perfeita e ensanguentada, completando a minha existência ao tocar a minha pele lambuzada de suor. Toda a dor, toda a renúncia, todo o sofrimento de uma gestação cheia de inseguranças e de solidão, tudo foi recompensado em meio centésimo de segundo do seu nascimento. Ouvir o seu primeiro choro fez valer a pena as minhas últimas dezenove ou vinte e nove ou duzentas vidas. Sério. Mas o problema é que a vida não para nas imagens de felicidade que a memória grava. A vida continua, sem dó da gente, sem nos poupar, sem eufemismos. Em certo momento me caiu a ficha. Você era tão melhor do que eu... e era por isso o meu amor infinito por você. Mas você era tão, mas tão, mas tão melhor do que eu, que não tive como não sentir uma enorme empatia com todas as madrastas dos filmes da Disney. Espelho, espelho meu, existe alguém mais bela do que eu? Claro, minha querida filha, você é absolutamente superior a mim. Seu pai logo percebeu isso, e rapidamente não olhava mais para mim, só sabia babar em você. Como poderia, eu, não me enciumar, diante do amor sem fim, do seu pai sobre você? Como poderia eu ter a audácia de me enciumar diante da bestidão do seu pai sobre você? E assim uma enxurrada de culpa banhava o meu corpo todos os dias. Uma vez, duas, quarenta e oito, mil e vinte vezes por dia. Como eu ousava invejar a minha própria filha? As coisas pioraram quando você chegou na adolescência e passamos a compartilhar as nossas roupas, calçados e acessórios, tudo do mesmo tamanho. Um dia eu soube que você arranhava os antebraços com o seu compasso cor-de-rosa que eu mesma comprei. Pensei que enlouqueceria de dor. Entendia que todos os sentimentos ruins que me habitaram em relação a você se localizavam nos arranhões que você se causava.

Eu: culpada, culpada, culpada. Então, eu pedia desculpas a você, que não entendia a minha angústia, e pior: você se sentia culpada por perceber a minha culpa. Eu me sentia realizada por seus feitos e destroçada por suas dificuldades. Até que um dia... Nada aconteceu, mas eu desejei ardentemente que acontecesse, e assim continuo desejando. Então, na impossibilidade de modificar os afetos em mim, decidi mudar as palavras. Desde então, conjugo os verbos no passado, em busca de encontrar uma doçura no meu modo de me relacionar comigo mesma.

LIA

— Como é seu nome?
— Lia.
— Lia com y ou com i, com ou sem h no final?
— L-I-A. Bem simples, como o final da palavra "melancolia".

Era assim que a moça chegava, com a melancolia como carta de apresentação.

Num lugar de si onde não pensava que pensava, pensava que seu nome tinha sido herança da tristeza de sua mãe. Não achava ruim. Sempre fora apaixonada pelos olhos tristes de sua mãe. Eram olhos cor de amêndoa. Outro dia ela foi escrever uma receita de sobremesa a uma amiga e escreveu amendor. Nem ligou. O amor pelos olhos maternos era tão imenso que se esparramou por outros amores, e assim Lia vivia se apaixonando por pessoas que rapidamente ela descobria que tinham uma longa história de tristeza pela vida. Gente com preguiça de viver, com um desinteresse crônico pelas alegrias, gente com um desgosto enorme por si, gente que ela acreditava poder salvar, mas das quais tinha que sempre, em certo ponto, se afastar, pra não afundar junto.

Um dia, ao pedir um café, o atendente lhe perguntou, com a canetinha e o copo de plástico na mão:

— Como é seu nome?

— Lia.

— Lia como uma flexão do verbo ler?

— Oi? Como assim?

— É. Eu lia, tu lias, ele/ela lia.

Então, dez milhões de fichas caíram dentro dela. E, ainda que ela não tivesse percebido toda essa movimentação interior, Lia passou, desde então, a se sentir mais leve. Se Lia fizesse análise, teria descoberto que passou a vida toda achando que se identificava com os olhos tristes da mãe, quando, na verdade, se identificava era com a despedida da tristeza que trocava de lugar com a alegria, nos olhos da mãe, quando lia para a filha.

A REGRA DO SONHO

Eles se sonharam,
mas quando acordaram,
só ela se lembrou.

Então ela contou pra ele do sonho
que ele sonhou,
embora não se lembrasse.

Eis a regra do sonho,
só uma das pessoas que estava lá
pode se lembrar dele.

É por isso que esquecemos tantos sonhos,
para que nossos colegas sonhantes
também possam se lembrar.

Eu sou egoísta,
tenho a memória de muitos sonhos,
por isso quase ninguém sonha comigo.

CORPO DE MÃE, CORPO DE FILHA

Não sei bem,
onde eu começa e você termino,
quer dizer,
onde eu termina e você começo,
opa, eu queria dizer,
onde eu começo e você termina,
ou
onde você começa e eu termino.

Olho para as minhas mãos,
mas são as suas que vejo.
Outro dia o espelho me assustou,
mostrou o rosto que você tinha quando eu era criança,
no momento em que era eu quem estava em frente ao espelho.

TORTA DE BANANAS

Decido que quero fazer uma torta de bananas, mas não tenho bananas em casa. Haviam tantas bananas, bananas infinitas na semana passada, como agora não tenho mais bananas? As crianças as comeram, comeram todas, é claro. Não posso reclamar, pois vivo implorando para que elas comam frutas, mas fico com raiva mesmo assim.

Com a minha vida acontece o mesmo. Havia tanto amor aqui, logo ontem. Tanto que eu ficava estafada de amor, me sentia culpada por achar que eu era amada demais e julgar que não conseguia retribuir o mesmo tanto que recebia. As medidas das coisas sempre foram muito importantes para mim, a simetria é minha bússola desde antes de eu aprender o que é simetria ou o que é bússola.

Quando criança, só convidei a Alessandra pra lanchar comigo uma vez porque ela me convidou uma vez também. E nunca mais. Na adolescência sofri muito quando comecei a sair com o Carlos e eu só podia ligar pra ele três vezes, porque era o número de vezes que ele tinha me ligado. Na terceira vez que liguei pra ele a TIM derrubou a ligação antes que eu falasse o que eu queria e não pude ligar de novo, eu não podia ligar a quarta vez, ou desequilibraria tudo. Sofri horrores nas duas horas que sucederam à ligação caída, pensando que nunca mais falaria com ele. Mas aí ele me ligou de novo. Ufa. Manter as coisas em simetria era a minha garantia secreta de não ser rejeitada. Deus me livre ser que nem a minha mãe, que ligava para o meu pai quinze, vinte vezes seguidas, mesmo sabendo que ele estava trabalhando, mesmo que ela mesma estivesse trabalhando.

Em épocas de ansiedade, a simetria se espalhava pro resto da minha vida. Tive três crises de pânico em uma semana quando tatuei a panturrilha da perna direita. Ainda bem que o tatuador me atendeu na semana seguinte e equilibrou as coisas.

EQUILIBRISTA

Doeu, doeu, doeu, quando você disse que ia embora. Mas nem doeu tanto assim. Foi um misto de sensações. Sabe quando a gente sente alguma coisa e outra ao mesmo tempo? Tipo o instante que antecede à angústia das cócegas, ou a última respiração gostosinha quando já se sente a boca ardendo em pimenta com um bolo de comida que muito em breve será cuspida. Tipo o alívio que se sentia antigamente, quando o mertiolate ardia na pele, mas se sabia que era um ardor de cura. Tipo qualquer coisa da vida, pensando bem. Porque se a gente prestar bastante atenção em cada coisa que faz, nada escapa a essa duplicidade. Cada respiração a mais é um passo mais perto em direção à morte, cada palavra dita é a impossibilidade de dizer todas as outras naquele tempo. Então, quando você disse que ia embora, o que aconteceu, foi que senti a vida em sua máxima potência. Senti que o meu corpo virou uma ampulheta, e eu me tornei pura oscilação, pura ambiguidade, puro intervalo – entre aquela que não ia sobreviver sem mais daquilo e aquela que não aguentava mais ser tomada por tanto sentimento. Foi entre o excesso de você em mim e o excesso de mim em mim causado por você, que encontrei um pontinho meu aqui, ao qual chamei de salvação. Desde então, é nesse ponto em mim que tenho tentado morar. E tenho pago um aluguel altíssimo para morar nesse lugar pequenino, porque o ponto em mim onde eu tinha construído minha casa própria, onde eu me reconhecia no espelho e era falada pelos outros, tornou-se pesado e caro demais para mim. Pagar aluguel, por ora, tem custado menos de mim, embora me seja mais caro.

TUDO IGUAL

Cresci escutando o meu pai dizer que mulher era tudo igual. Mas nunca entendi por que ele insistia em ficar com a minha mãe, se ele tanto reclamava dela e se elas eram todas iguais. Eu não achava todas as mulheres iguais, a minha mãe e a minha tia, por exemplo, eram muito diferentes. A minha mãe tinha o cabelo amarelo cheio de espirais de caderno e a minha tia tinha o cabelo cor de lápis grafite, bem liso. E tinha a minha avó também, mãe delas (o que era muito esquisito, pois eu achava que só as crianças é que tinham mães). A minha avó tinha os cabelos um pedaço branco e um pedaço marrom. O jeito delas também era bem diferente. A minha mãe falava muito alto, parecia que estava sempre gritando, ela dizia que era pra minha avó escutar, e a vó era um pouco surda. Mas eu nunca precisava gritar, porque minha vó sempre adivinhava o que eu queria, mesmo antes que eu falasse, o que depois se tornou um pouco assustador. Já a minha tia falava sempre muito baixo, parecia um pouquinho triste. De vez em quando a minha mãe falava baixo com elas, e aí sim ela se parecia um pouco com a minha tia. Então eu chegava perto pra escutar o que elas diziam e elas me mandavam ir brincar com os meus primos ou chamavam o meu pai pra me levar fazer "coisas de menino". Diziam que era conversa de mulher. Às vezes eu ficava quietinho, escutando de longe pra que elas não me mandassem embora, mas assim mesmo eu não entendia o que diziam. Parecia mais que cada uma falava de um assunto diferente, e de algum modo todas elas sabiam de algo que eu não sabia, que era o que permitia que elas falassem de tantas coisas ao mesmo tempo. A novela, o marido, o trabalho, o esmalte, a vizinha, eu, a inflação, o meu primo, o Natal, era isso tudo numa coisa só. E meu pai dizendo que eram todas iguais. Como ele podia saber disso? Eu achava que ele tinha concluído que elas eram iguais porque as entendia.

Depois comecei a prestar atenção na conversa das meninas da escola, mas elas eram mais espertas e se comunicavam em códigos. Acho que cada pessoa da minha sala tinha um nome diferente em cada grupo delas e então eu nunca sabia de quem ou do que falavam. Era como se fosse uma grande língua-do-pê e eu não conhecesse a letra pê.

Na adolescência eu desisti por um tempo de tentar entender a língua que elas falavam, porque percebi que a língua que os meninos da minha idade falavam era bem mais confortável, visto que eu a entendia e me sentia feliz por falar e ser compreendido. Mas ainda martelava na minha cabeça o dito do meu pai, de que as mulheres eram todas iguais. Comecei a perceber que não era só eu que me sentia um peixe fora d'água dentre elas, mas os meus amigos também.

Descobri que pra me dar bem com as mulheres era preciso eu fingir que as entendia. Mas isso só funcionava se eu falasse no tête-à-tête com uma de cada vez. "É verdade, os homens não prestam", "pois é, eu sou diferente", "pois é, você é diferente", "uau! como você é bonita", "o formato das suas unhas é incrível" (mesmo sem ter a menor ideia do que é um formato de unha), "que lindo é o seu brinco", "vamos tomar um café ou uma tequila", "você é linda e não sabe disso" (funciona muito bem, porque é verdade na maioria dos casos), "você é mais bonita do que as suas amigas" (porém, sem falar mal das amigas). Era o mesmo discurso para todas, mas só funcionava com uma de cada vez e por pouco tempo. Logo elas queriam mais de mim, queriam que eu as visse para além da imagem, queriam discutir política profundamente, queriam contar a história da infância delas, queriam saber como foi que me tornei esse cara tão diferente dos outros e eu tinha que fazer malabarismo pra me manter vestindo a roupa do "cara diferente" que eu não era.

Elas eram todas iguais, visto que eu não entendia nenhuma delas, e por medo de que elas descobrissem que eu não as entendia, me mantinha nesse clichê e sem me aproximar. Foi aí que ficou claro para mim que os homens eram todos iguais, inclusive eu, inclusive o meu pai – e repetíamos esse mantra de que as mulheres são todas iguais porque ser igual aos outros era apaziguador pra gente.

Um dia eu olhei uma moça de olhos esquisitos. Ela não falava nada de muito diferente das outras, eu não sabia explicar por que os olhos dela eram esquisitos, e ela não me dava bola, o que me encorajava a me aproximar dela, porque não me sentia intimidado, não parecia que ela ia engolir a minha alma. Quando ela me olhava, a esquisitice que os olhos dela carregavam atravessava o meu corpo e eu me sentia esquisito também. E isso fazia com que ela fosse diferente pra mim. Mas não sabendo transformar essa sensação esquisita em palavras, tudo o que eu conseguia dizer é que ela era diferente das outras. E assim eu me sentia exatamente igual aos outros. Aí eu acho que ela engoliu a minha alma.

ANEL DE PÉROLA

Laurivalda era linda, mas eu não sabia dizer por que achava isso. Tinha olhos e cabelos castanhos, bochechas rechonchudas e um dos dentes da frente meio torto. Eu era louca pra lanchar com ela, mas ela nunca me convidava. Desfilava pela escola com uma lancheira vermelha em formato de coração, maravilhosa, que me fazia odiar a lancheira roxa com verde que a minha mãe tinha comprado pra mim. Eu a olhava de longe e fantasiava com o dia em que Laurivalda me mandaria um bilhete num pedaço de papel qualquer, durante uma aula de ciências, com sua letra redonda, me convidando pra lanchar. Seria o dia mais feliz da minha vida. Então, eu me preparava, todos os dias, para o dia mais feliz da minha vida, sempre dando muitos pitacos no modo como a minha mãe preparava a minha lancheira, colocando um guardanapo ou uma bolacha a mais. Minha lancheira estava sempre pronta para ser dividida com Laurivalda. Mas nada acontecia. Ela lanchava todos os dias com as mesmas duas amigas, duas insossas, que, nas minhas fantasias, teriam faltado à aula no dia mais feliz da minha vida.

Foi numa terça-feira de chuva, depois da aula de português, que ela estava lá, radiante com a mesma cara de sempre – que eu achava linda sem saber por quê –, quando muitas, mas muitas meninas mesmo, se aproximaram dela. Naquele dia não eram apenas duas, eram umas oito, nove, dezessete, vinte, sei lá quantas. E por serem muitas, me senti à vontade para me juntar à série. Quando cheguei ali, vi que Laurivalda tinha um anel de ouro e de pérola, enorme, na mão direita. As meninas pediam para que ela o tirasse do dedo, queriam tocá-lo, queriam sentir o prazer do ouro em seus próprios dedos, queriam saber se o anel caberia nelas, mas Laurivalda, de mão fechada, não o tirava. Apenas o expunha, exibida, aos olhos das meninas à sua volta. Estavam todas hipnotizadas com o anel, queriam saber da história dele, de quem era, como ela o tinha conseguido.

Ela disse que o anel era da bisavó materna, que teria falecido antes do seu nascimento, em um incêndio, com o anel no dedo. Contou que tudo havia sido carbonizado, mas que o anel sobrevivera. É que o anel continha uma maldição, era ele quem escolhia o dedo que iria revestir. O falecimento da bisavó de Laurivalda acontecera na consulta a uma cartomante. A cartomante tinha tirado o anel do dedo da bisa com a intenção de não devolvê-lo, querendo roubá-lo para si. A bisavó, não percebendo o furto, ludibriada com os dizeres da mulher sobre o seu próprio futuro, estaria indo embora do lugar, quando o fogo começou. Matou as duas, a ladra por sua maldade, e a roubada, por sua ingenuidade. Assim, era o anel que escolhia o dedo de quem ele deveria envolver. Não fosse assim, quem mais estivesse envolvida na decisão, queimaria.

Por isso, a avó de Laurivalda, filha da bisa, havia sido por sua vida toda a guardiã do anel, tendo-o passado depois para a mãe de Laurivalda, que atualmente era quem detinha os cuidados do anel. Guardava-o em uma bolsa, em um fundo falso da gaveta do guarda-roupa do quarto de visitas, na tentativa de proteger as mulheres da família, pois como saber qual seria a mulher que o anel escolheria? Esse era um mistério que morreu com a bisa.

Mas Laurivalda contou que, naquela noite, tivera um sonho, em que a bisavó aparecia pra ela e dizia que era ela a escolhida do anel, que ela poderia ficar tranquila e usá-lo. Que, aliás, ela deveria usá-lo, ela enfatizou, a fim de salvar as outras mulheres da família que também desejavam o anel, pois certamente algumas delas viria a usá-lo em algum momento.

A partir daí as meninas começaram a se afastar, ninguém queria um anel que pudesse queimar tudo e todas. Então, uma delas, mais corajosa, perguntou "e como você sabe que a mulher do sonho era mesmo a sua bisavó, se você não a conheceu?". Laurivalda disse que sabia por fotos, mas que sabia com o coração também. Achei lindo aquilo, alguma coisa que eu achava linda em Laurivalda, me hipnotizava.

Mas as meninas começaram a rir e a duvidar, foi quando ela olhou firme pra mim e perguntou se eu queria colocar o anel em meu próprio dedo, para verificar a veracidade da história dela. Era aquele o meu momento! Ainda melhor do que eu tinha ensaiado por meses na minha cabeça. Seria o dia mais, mais, mais feliz da minha vida!, eu me tornaria a pessoa mais confiável da escola para ela, colocando o anel e... queimando?! Ô-ôu, eu disse pra mim, me dando conta de que se a história dela fosse verdade, eu morreria carbonizada – e de que se fosse mentira eu a desbancaria na frente de todas as meninas e, assim, ela me odiaria.

Foi assim que eu descobri que Laurivalda tinha uma incrível vocação para a maldade. E que era isso que eu achava lindo nela. Um perigo.

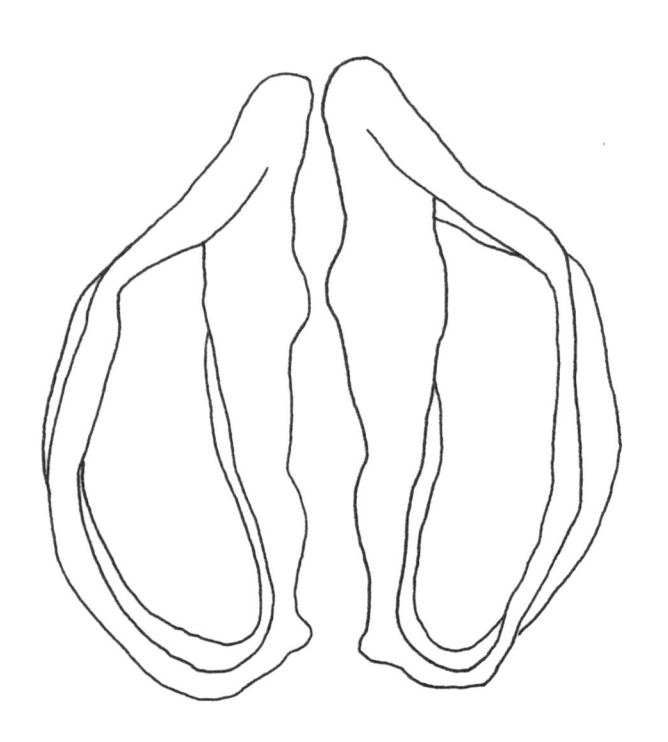

Parte 3
Quando o amor é casa de tijolos

ELA

Ela sorri com os olhos, perfuma o ar com palavras, atravessa os corpos das pessoas com seus olhos curiosos. Ela faz caretas involuntárias para comentários rasos e umas cinco vezes por dia pensa que tem preguiça de viver, mas só escuta esse seu pensamento uma vez por semana. Ela ouve músicas doces, beija os joelhos ralados dos filhos prometendo a cura sem titubear, gosta de chá de hortelã com hortelã de verdade, se esquece de tirar o lixo quase todas as terças-feiras. Ela diz palavrões em voz alta mesmo quando está sozinha e quebra um copo ao lavar a louça, e quando isso acontece ela sempre embrulha os cacos em um papel e escreve "cuidado: vidro" com caneta hidrográfica, feliz por causar uma dor a menos neste mundo. Ela costuma ligar para as pessoas para desejar feliz aniversário e se sentir culpada quando o dia passa rápido demais e ela se esquece de fazê-lo. Ela gosta de se lembrar das coisas que não viveu, gosta de imaginar cenas que nunca acontecerão e de abrir livros em páginas aleatórias, imaginando que eles lhe darão respostas para as perguntas que ela nunca faz. Ela se sente mais acolhida nas palavras alheias do que nas fantasias que ela costura para si mesma. Ela imagina como seria se enchesse a sua vida de pontos finais, mas toda vez que tenta fazer isso acaba se inundando em reticências. Ela sente o amor maior do mundo quando sente o cheiro dos cabelos dos filhos e sente a maior dúvida do mundo quando vai pedir um simples café e lhe dão trocentas opções. Ela gosta mais de imaginar uma cerveja gelada no calor do que realmente gosta de uma cerveja gelada no calor, mas não pode dizer o mesmo sobre o vinho e o frio. Ela gosta de olhar para o céu depois do nascer e depois do pôr do sol, para tentar entender o que sobra do céu depois de seus picos de beleza, na tentativa de compreender o que sobra dela mesma depois de cada ápice de amor. Ela fala sobre si na terceira pessoa porque é se sentindo menos si mesma que ela mais se sente si mesma.

AMOR-TECIDOS

Deviam vender
o tecido da sua pele por aí.
Eu compraria muitos metros,
levaria para a costureira
e mandaria fazer:
um vestido,
um lençol,
uma fronha,
um pijama.
Pensando bem,
eu renovaria todo o meu guarda-roupa.

A MULHER E A NOITE

O que acorda a mulher no meio da noite?
Um pensamento que ela não pensa.
Uma poesia que ela não pode escrever.
Um barulho que não aconteceu fora, mas dentro dela.
Uma tarefa que não pode ser cumprida agora.
A chuva que cai lá fora e ecoa dentro dela.
A chuva que não cai dentro dela e fica na nuvem impregnada.
O ar que não parece se recusar a entrar em seu corpo.
A corrente sanguínea paralisada.
Os olhos secos mesmo fechados.
A chuva que esbanja sua umidade debochando da secura do seu corpo.
A mulher não é chuva.
Um homem a ama e enrosca seu corpo no dela.
A faz chover um pouco.

A faz ventar mais do que chover.

O ar dela circula um tanto.

Um homem a ama só o possível, e não o necessário.

A falta de amor que ela sente a acorda.

Há nela, nesta noite, um preenchimento excessivo, como se algo nela sobrasse.

Há falta e há excesso bailando em seu corpo, um em busca do outro.

Ela escreve tentando se livrar da coisa que a faz acordar.

Mas escrever a ancora na realidade e a torna ainda mais acordada.

Ela precisa dormir.

Ela precisa abandonar a realidade e sonhar.

No entanto, ela teme ser abandonada pela realidade definitivamente.

TE DEIXAR

Decidi te deixar.
É que ontem eu senti o gosto da sua existência.
(O gosto ocre do espaço que o seu corpo ocupa no mundo.)
Você me disse cheiros.
(Suas palavras têm odor de espinhos.)
A poesia da sua respiração não me deixa dormir.
(Não sei mais lidar com essa lua embaixo da cama.)
Estou cansada de acariciar o punho da sua mão esquerda com imagens do nosso primeiro beijo.
(Como pode uma imagem sustentar tantos outros beijos?)
A música da sua pele tem me dado náuseas.
(Parece labirintite, mas é só a minha incapacidade de esquecer que o mundo gira.)
Você me abraçou com um silêncio.

(Prefiro lidar com a sua agressividade do que com a sua indiferença.)

Esta é a primeira vez de todas as vezes que vou te deixar.

POEMA INEXISTENTE

Queria escrever um poema dormindo ou quase dormindo
Com a atenção desligada ou quase desligada
Um poema escrito com os olhos fechados não deve ser a mesma coisa que um escrito com os olhos abertos
Assim como um poema em português não é o mesmo que um poema escrito em inglês ou em espanhol ou em mandarim ou em braile
Queria escrever um poema com a ponta de uma estrela em uma língua onírica
Um poema que carrega um pequeno núcleo de verdade, cercado de muito brilho
Um poema que permita que duas palavras com sentidos opostos sejam ditas ao mesmo tempo
Um poema que fale que faz sol e chuva
Num dia que é noite
Mas que diga isso tudo ao mesmo tempo

Queria escrever um poema que me economizasse
 tempo de vida
Então vou escrever:
Este
Poema
Não
Existe

O MAR E O AMAR

Há uma mulher.
Uma mulher no (a)mar.
A mulher está se afogando.
O (a)mar é de silêncio.
Há uma mulher se afogando no (a)mar de silêncio.
Há um homem olhando a mulher se afogar.
O homem quer salvá-la.
Mas há algo (um mistério) que o impede de entrar no (a)mar da mulher.
Ele a vê se afogar.
Ele deseja salvá-la.
Mas toda vez que ele tenta entrar no mar o (a)mar desaparece.
Há um homem angustiado diante de uma mulher que se afoga.
A mulher sabe que só uma palavra pode salvá-la.
No entanto, ela está num (a)mar de silêncio e ali não existem palavras.

Por isso ela precisa que o homem jogue uma palavra para ela.

O homem tenta espalhar palavras pelo (a)mar de silêncio.

Mas as palavras do homem têm pouca força.

O homem diz as palavras, elas voam em direção ao (a)mar de silêncio da mulher, mas na primeira marolinha perdem a força e se dissipam no (AM)ar.

A mulher queria dizer ao homem que não é qualquer palavra que tem força.

Mas ela está presa num (a)mar de silêncio.

Então ela o provoca a dizer uma palavra com mais força.

Ela o provoca, faz caras, faz bocas.

Ela faz amor com o (a)mar.

O homem fica cada vez mais angustiado.

Ele não participa daquilo e não entende o que está acontecendo.

Agora ela está num (a)mar de silêncio e ele está num (a)mar de angústia.

Eles podem morrer, cada um em seu próprio (a)mar.

Então, dentre tantas palavras fracas, uma série de palavras pula da boca do homem e o arranca de seu próprio (a)mar.

Ele diz, tonto e sem ouvir o que disse, 'mas se eu pudesse eu não te amaria'.

E mulher se agarra nessa frase tal como se agarraria numa boia.

A frase que o homem disse sem escutar a abraça tal como um colete salva-vidas.

Os dois, a mulher e o homem, estão sãos e salvos por hoje.

Mas amanhã estarão de novo cada um em seu próprio (a)mar, e a fórmula para a salvação – a palavra – não poderá ser mais a mesma.

É ASSIM

É assim
que o amor morre
Quando se espirra
ou se espera
Quando se pisca
ou se fala palavrão
Quando se beija
ou se bica
Quando se ri demais
ou de menos
É assim também
que o amor vive.

UM E DOIS E UM

Quero arrancar a minha pele e a sua também
Quero beijar sem lábios a boca do seu estômago
Quero fazer uma trança de quatro partes com os meus intestinos e os seus também, os grossos e os delgados
Quero morder o seu baço e esfregar os meus rins nos seus pulmões
Quero delicadamente tocar cada pedaço de músculo estriado seu com músculos estriados meus
Quero desistir de pensar que nossos cérebros se estiquem e se misturem às tranças renais
Quero sua língua na minha traqueia
Quero que faça frio pra eu me cobrir com a sua pele
E depois disso tudo
Quero
Cada
Órgão

No
Devido
Lugar

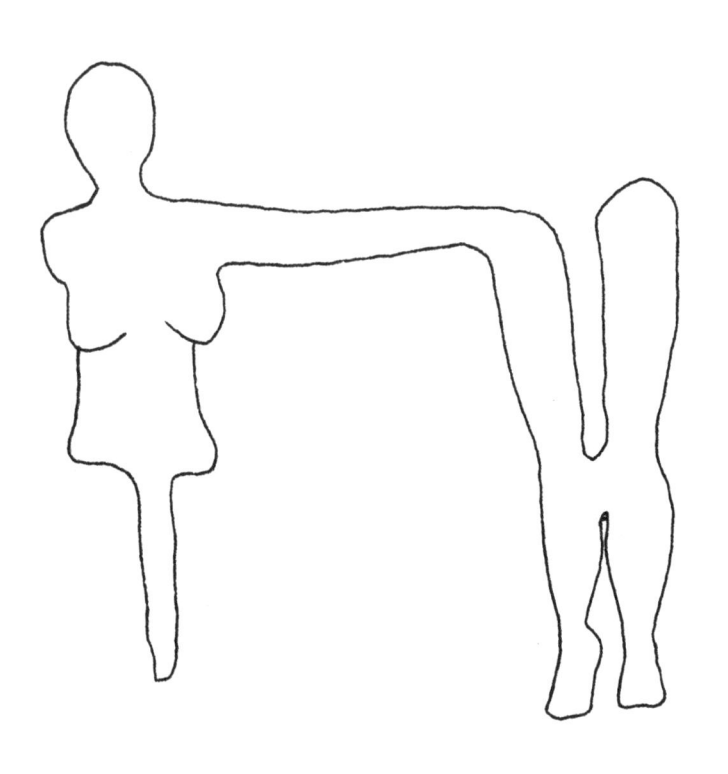

AS CABANAS QUE O AMOR FAZ EM NÓS

De manhã amor é
paixão
De tarde amor é
paz
De noite amor é
amizade ou morte.

QUANDO

Quando eu disse
E você entendeu,
Quando você sorriu de nervosismo
E eu te li,
Quando eu odiei um semidesconhecido sem saber
  por quê
E você o odiou também, sabendo ainda menos,
Quando você pensou
E eu escutei,
Quando eu pensei em te procurar
E você já estava aqui,
Quando você engoliu a seco
Todos os "eu te avisei",
Quando eu escutei
O que você não disse, mas queria ter dito,
Quando você me amou
E eu te amei de volta na exata proporção,
Quando os mal-entendidos da comunicação

Não encontraram espaço entre nós, para além do riso,
Quando o ciúme bateu à nossa porta
E nós não a abrimos,
Descobrimos que amizade
É como a gente chama o amor que deu certo.

TRÊS MINUTOS

faz três minutos desde que você foi embora e eu começo a retornar ao meu corpo. finalmente pude me entregar. chorei lágrimas de mofo. estive presa e abandonada em meu organismo por muito tempo, questionando, pensando, duvidando e me defendendo desse sentimento que me come, me vomita e me torna outra para você e para mim mesma. desconheço essa mulher que teme o abismo, mas que não gasta horas de sono nem perde a fome pensando sobre isso. estive habituada a duvidar do nome daquilo que sinto por você. pensei que o amor viria com uma certeza radical de brinde. não veio. o amor veio me enroscando numa dúvida brutal e amarela a respeito do que é o próprio amor. será que o verdadeiro amor permite que uma pomba da paz absurdamente brega faça casa no corpo dos amantes? não deveria o amor ser um furacão, aquilo que faz os amantes mudarem de rumos, desfazerem os planos e desejarem árdua e constantemente um morar na pele do outro? será que o amor permite que vez em quando haja tédio, que vez em sempre os pontos de exclamação se contorçam de desejo a ponto de se transformarem em pontos de interrogação? será que o amor suporta uma dose de desamor? pensei tanto sobre isso que as palavras ficaram estranhas na minha cabeça, tal como uma criança repete uma palavra tantas vezes seguidas que a palavra torna-se outra, e então se ri da falta de sentido da palavra. amor-desamor-dúvida-desejo-amor--desamor-dúvida-desejo-amordesamordúvidadesejo não sei mais onde começa uma coisa e termina a outra, não sei mais onde começa o seu corpo e termina o meu, não sei, não sei, não sei, e de repente estou voltando a mim da viagem que fiz para o seu corpo faz três minutos.

DO QUE SALVA

quando a palavra ruminada
sai do labirinto da garganta e encontra saída pela
 boca, através do som –
quando o afeto esmagado
ganha contornos e nomes –
quando a alma angustiada
elimina a toxina de desamor que atinge o corpo –
encontra-se o amor –
ou o poema.

TRAVESSIA

Uma sensação de vazio no peito. Não, não era vazio. Era um preenchimento angustiante. Uma dor sem nome que começou preenchendo o meu peito e se alastrou lentamente por todo o meu corpo. Queria que doesse tudo de uma vez, queria que doesse logo, que eu chegasse rápido ao fundo do poço pra ver se existia a tal da mola que tanto dizem que existe lá. Mas a dor era tamanha que a cada segundo pelo menos três vezes eu era invadida pelo pensamento de que eu ia morrer daquela dor sem nome, em seguida um pensamento conflitante se atravessava com a voz da minha falecida avó materna, dizendo "ninguém morre de amor". Tique-taque, vou morrer, vou sobreviver, vou morrer, vou sobreviver, vou morrer, vou sobreviver, tique-taque, vou morrer, vou sobreviver, vou morrer, vou sobreviver, vou morrer, vou sobreviver. E assim passavam-se horas, passavam-se dias fora de mim, mas não dentro de mim. Ali ficava tudo igual, estático, nada se mexia.

Embora eu sentisse que poderia morrer, sabia que não morreria da falta de você. Sabia que, embora eu aparentasse estar despedaçada para mim, saberia me remontar e voltar inteira para o mundo. Mas o sentimento era tão forte que o saber se tornava ridículo perto dele. Beijei de língua o abismo naqueles dias, mas não me rendi inteiramente a ele, pois eu estava aos pedaços.

Como tudo na vida, a dor sem nome também passou. Talvez porque eu a tenha nomeado, talvez porque eu a tenha sentido, talvez por causa das simpatias que fiz, ou por efeito do tempo no meu corpo, ou das sessões de análise, ou uma soma disso tudo, mas passou.

E o resultado, depois dessa travessia, é que continuo lhe amando, só que agora esse amor não é mais o suficiente pra mim. É um amor tranquilo, um desejo imenso de que você seja feliz, mas nenhuma vontade de participar da sua vida. É uma disposição para encontrar outros amores, outros ares, outros lugares – fora e dentro de mim. É um negócio no peito que não é vazio, parece um furo.

Um furo por onde volta e meia passa uma brisa que faz cócegas e deixa uma presença doce. E é por essa presença que sei que o que eu senti por você foi mesmo amor. Porque amor é quando mesmo depois do amor ainda há amor. Amor é quando depois do amor o que resta é a capacidade de amar.

A DE DEZOITO E A DE NOVENTA E DOIS

Tenho em mim todas as idades, de 1 a 92 anos. Sou criança, sou pré-adolescente, sou adolescente, sou adulta, sou velha, sou bem velha. Chamam a velhice de ~melhor idade~ e é mesmo. Não que a velhice seja boa, porque ela não é, mas é que ser tantas mulheres em um só corpo é danado de bom. Minha bisneta tem vinte e um e acha que eu sou só velha. Ela não entendeu ainda que eu também tenho vinte e um anos. Já fui solteira, fui noiva, fui casada, fui viúva, fui casada pela segunda vez e viúva pela segunda vez. Ainda sou cada uma dessas coisas. Se tem uma coisa que aprendi com o tempo é que a gente vai se somando ao longo da vida. Vai se somando consigo mesmo. Quem já fomos não vai embora de nós, se soma com quem chega em nós. O Genésio, por exemplo, velho sabido, me conquistou assim. Olhou pra mim na fila do açougue e não ficou preso à imagem do meu corpo de noventa e dois anos, que é muito bonito, diga-se de passagem, mas é um corpo que já não carrega tanta vida assim. Só que o que ele viu em mim quando me olhou com o coxão mole nas mãos foi a menina de dezoito, que continuo sendo, desde os dezoito anos. E eu sou muito boa em ser menina de dezoito anos – já tem setenta e quatro anos que sou menina de dezoito. Gosto quando me capturam pela menina de dezoito. A menina de dezoito tem todos os sonhos do mundo, quer seduzir, quer ser conquistada, quer morrer de amor. Mas, quando eu tinha dezoito no corpo, dezoito era a minha idade máxima, e então eu tinha medo de quebrar, tinha medo de perder, tinha medo de estragar a minha vida, tinha medo de morrer de amor. Hoje a velha de noventa e dois já perdeu tudo o que podia perder e tem um corpo frágil a ponto de o maior risco ser quebrar um osso e morrer de complicações disso, já não tenho mais medo, então, de quebrar o coração – a vida fez dele um mosaico. Não é que ele não possa ser quebrado, ele pode, mas a velha de noventa e dois não se importa com isso. Hoje eu sei que as maiores dores são as dores do medo, e não as dores do estilhaço. Era isso que eu queria dizer pra minha bisneta, mas ela só tem vinte e um anos, ainda não aprendeu a escutar. Não é que vinte e um seja pouco, mas aos vinte e um a gente só tem essa idade e não tem as outras. Eu queria dizer pra ela que a coisa mais útil que a gente pode aprender nessa vida é escutar o que diz. Porque geralmente a gente fala as coisas pros outros ouvirem e acaba não ouvindo as próprias palavras, era só isso que eu queria que ela escutasse. Mas ela acha que estou louca porque estou velha, o que talvez seja verdade, embora isso seja paradoxal. O tempo me ensinou a respeitar a realidade. Entender que a realidade é soberana é libertador. O entendimento disso me permitiu parar de fazer esforço remando contra a maré. Quando a gente é jovem nosso mundo interno parece ser muito forte, parece ser mais forte mesmo do que o mundo externo. O tempo ensina que, não importa o quão grave seja a tempestade que aconteça em nós, nada se altera fora de nós. Então a gente pode ter menos medo das nossas tempestades. A gente chove, a gente graniza, a gente arco-iriza, a gente faz sol, a gente esfria. E a realidade tá nem aí se faz sol ou se chove dentro de nós. Aí a gente passa a se preocupar menos, muito menos, quase nada, e a vida simplesmente flui. Eu queria poder dizer isso pra minha bisneta, mas o Genésio tá ali na frente de casa me esperando e a gente já não tem tempo a perder.

A AMIZADE É UM AMOR SEM MÁSCARAS

É preciso encontrá-la
no verde das folhas
na primavera,
nas pétalas vermelhas
da rosa vermelha,
no sabor de morango do sorvete de morango,
na verdade do comentário da criança
que soa maldoso só nos ouvidos dos adultos.
Encontra-se amizade naquilo
que não faz jogo,
que é o que parece ser,
no amor que não engana,
na advertência sincera,
na preocupação isenta de narcisismo,
na gratuidade,
na palavra desintoxicada,
na inveja confessa que se metamorfoseia em
    admiração.

ORAÇÃOZINHA

Que a gente se alongue no encanto do olhar que busca por um sentido que more em palavras. Que não temamos a força que faz cabana na involuntariedade de um sorriso que não sabe a sua origem. Que a gente se demore nas reciprocidades e nos sorvetes de creme, mesmo quando eles nos dão medo ou choques nos dentes. Que possamos nos alongar nos instantes de ingenuidade, mas não sem um tantinho de paranoias. Que a gente não se fixe em demasia na vida-fugaz-que-mora-em-textão-de-direita-esquerda-eu-te-odeio-você-me-odeia-a-gente-se-odeia-ninguém-se-suporta-e-de-tudo-o-mais-que-nos-leve-a-crer-demais-na-pulsão-de-morte. Que as lágrimas que escorrem dos nossos olhos sejam salgadas como gotas do mar, denunciando o infinito que nos habita. Que as gentilezas que vêm dos lugares e das pessoas que menos esperamos caiam tão doces em nós, que tudo bem nos causar um pouquinhozinho de diabetes. Que a gente não espere sempre o pior do outro só pra poder encontrar um tiquinho de contentamento porque o outro é menos pior do que se imaginou. Que a gente plante expectativas sem medo de colher frustrações, porque, tal como Amélie Poulain, não temos ossos de vidro. Que a gente não confunda sonhos, desejos e expectativas com delírios. Que possamos desconfiar sem perder a fé. Que a gente insista muito e muito nos laços com as pessoas, sem sucumbir, jamais, à facilidade do autoerotismo, da solidão, do exílio e da descrença. Amem(os)!

UM CORPO

O que fazer com um corpo?
Sobreviver!
Respirar, comer, excretar
Doer, parar de doer, voltar a doer
Parar de doer, doer
Nomear uma dor que não dói
Como prazer
O que fazer com um corpo?
Dançar!
Rodar, saltar, fazer-um com o som
Doer, esquecer que dói, lembrar de novo
Parar de doer, doer
Descobrir que o que doía antes não dói mais e chamar isso
De alegria
O que fazer com um corpo?
Amar!
Desejar, beijar, abraçar

Se perder no corpo do outro, se angustiar com a perda de si, desejar não mais amar
Doer, doer mais ainda, doer um pouco menos, doer muito menos
E descobrir que se dói menos
A dois
O que fazer com um corpo?
Escrever!
Escorrer letras pelos dedos, doar caminhos às palavras, deixar cair as pontuações
Permitir-se guiar pela dor, descobrir que a dor tem fim, querer retornar à dor para escrever
Entender que a vontade de retornar à dor já é uma dor, por si só
Descobrir que não é um corpo que escreve, mas é algo que se escreve em
Um corpo.

QUEM SABE

que quando o outro diz NÃO
a gente não se desintegra,
que diante do desamor
o mundo continua girando,
que quando se desconstrói um ideal
é que a vida acontece,
vive mais leve.

MENINA,

Pare: de se perguntar sobre o sentido da vida. E então o sentido dela te encontrará.

Chega: de pensar sobre os motivos que levam as pessoas a te amar.

Aceite: simplesmente você é amável.

Saiba: essa história de desconfiar daquilo que você já sabia desde o começo e mesmo assim se atirar em precipícios disfarçados de entrelinhas, só pra depois você poder dizer pra você mesma "viu só como nada dá certo pra mim" – já deu. Ok?

Confie: a sua intuição funciona.

Acredite: o mundo está repleto de gente que te quer bem.

Conforme-se: você é uma pessoa incrível, mas não tão incrível assim, está cheia de defeitos.

Respeite: ainda que você ame os seus defeitos, nem todos irão amá-los. E tá tudo bem.

Pare: de exigir perfeições das pessoas ao seu redor.

Lembre-se: os vivos estão cheios de limitações. Só os mortos é que são suscetíveis a promessas de amores eternos que jamais se quebram.

Menina: seja você mesma, porém não tanto. Guarde um pouco dos seus exageros para si.

Evite: se arrebentar na tentativa de evitar viver. Se for pra se arrebentar, que seja de viver.

Larga: desse preconceito com os meios-termos. Às vezes o oito é pouco e o oitenta é demais.

Creia: nem todo mundo gosta e nem vai gostar de você – e ainda assim você não se desintegrará. Há certas inimizades que são verdadeiros elogios à existência.

E, por fim, menina, lembre-se: se conselho fosse bom, a gente comia.

O AMOR FRACASSA

Fracassa quando um fala e o outro não entende e, quando vai repetir o que disse, acaba dizendo o contrário do que tinha dito antes, mas não pode assumir. Fracassa quando, na tentativa de se fazer entender, as palavras só encontram força para sair por gritos, num tom grosseiro. O amor fracassa quando um, para ser fiel ao que deseja, acaba por magoar o outro. Fracassa quando, mesmo querendo ser enorme para o outro, nos apequenamos – e fracassa quando a tentativa de fazer as pazes é unilateral. O amor fracassa quando a piada repetida começa a irritar, quando o tempo de um não é o tempo do outro e fracassa quando um pensa demasiadamente diferente do outro. O amor fracassa quando nenhum dos dois quer levantar no domingo de manhã para fazer café, quando a pilha de roupas só aumenta e quando a quantidade de sal que um gosta na pipoca é muito diferente da do outro. O amor fracassa quando os beijos de língua se tornam escassos, quando a rotina atropela, quando a preguiça de dizer e não ser entendido nos encapsula no silêncio.

O amor também fracassa quando, depois de uma briga, um dá boa-noite forçado para o outro, só pra não dormir brigado – e fracassa quando, por força do hábito, ainda que brigados, faz com que os corpos se busquem no meio da noite. O amor também é fracasso quando um deixa aparecer um pedaço seu que o outro não conhecia e quando o outro se deixa surpreender pelo um. O amor também fracassa quando um se lembra de uma coisa que os dois viveram juntos, mas que o outro não lembra. E fracassa quando a gente percebe que entendeu o que o outro disse ou o que o outro calou, ao próprio modo – e percebe que o nosso modo é só nosso, e que o do outro é outro. O amor não sabe fazer outra coisa, a não ser fracassar, porque o amor é isso o que a gente vive e atravessa a carne e não aquilo que a gente pensa que queria viver. O amor fracassa até quando, na tentativa de fazer dois virarem um, acaba por fazer três. Porque o amor fracassa, mesmo quando triunfa.

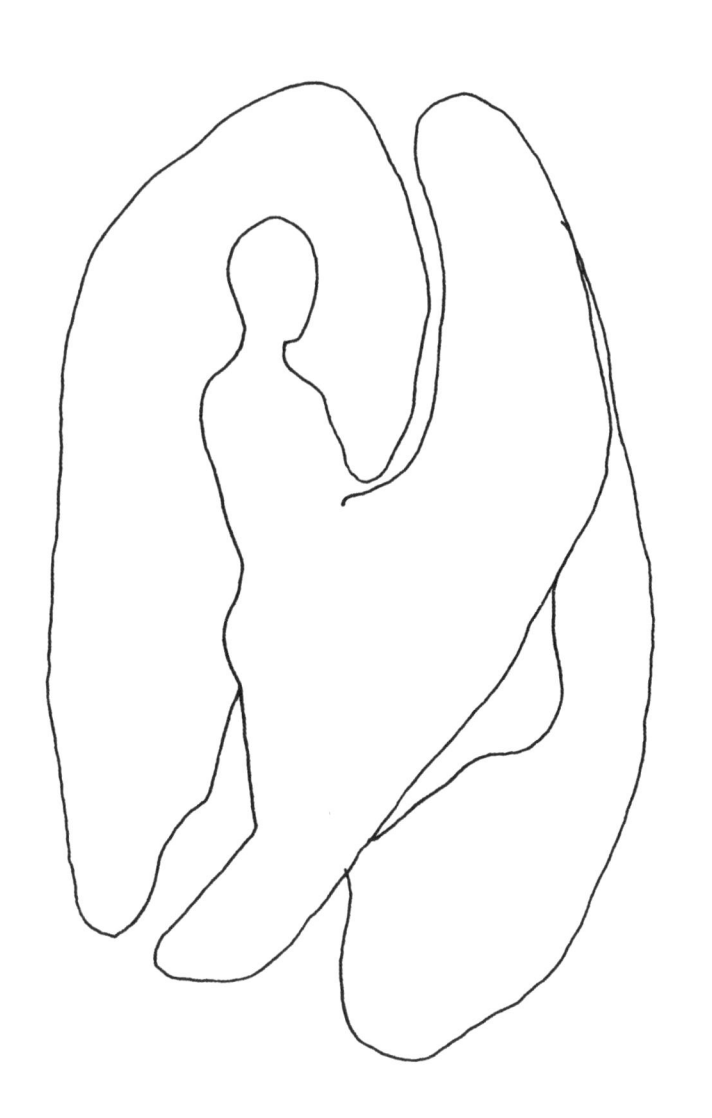

TRÉGUA

Há dias que amanhecem com um suave sabor de qualquer coisa tão refrescante quanto hortelã colhido em uma manhã de outono, dias em que o outono aparece em pleno verão de dezembro, dias em que a infância sorri dentro da gente, que os edredons do universo cheiram a amaciante num tom azul céu de brigadeiro, que os brigadeiros feitos na panela ficam numa consistência ótima para serem enrolados, que os corpos anseiam por serem ensolarados e se permitem absorver uma boa porção de vitamina D. Há dias em que a lei de Murphy falha, que uma ruptura se produz no raiar do universo e causa uma trégua em algo que não se sabe o que é, que os pessimismos titubeiam, que as coisas apenas são o que são, e isso é o suficiente.

ESCREVER

escrever é um pouco como dormir. é um semiabandono do corpo para que algo do desconhecido o habite. é uma fina conexão, quase suave, quase inexistente, quase-quase, que comanda o movimento da mão. escrever é como sonhar. algo que se faz não sendo muito si mesmo e por isso mesmo sendo muito si mesmo. escrever é se despir e desfilar num varal habitado por pombos caolhos. é não precisar se responsabilizar pelo sem sentido que puxa a vida pela mão. é ter que se haver com o caos que mora no peito e que fazemos morrer todos os dias quando nos colocamos a trabalhar, a amar e a dar sentido para as coisas. escrever é um absurdo, mas é um absurdo-zinho perto do absurdo maior que é viver.

DESLIZAMENTO

uma palavra me acordou
na ponta do dedo indicador da mão direita

querendo sair de lá,
mas não podendo,
(não há orifícios nos dedos)
ela se cochichou ao meu estômago,
que se doeu para a minha panturrilha esquerda,
que anunciou uma câimbra para o meu
umbigo (marca maior do meu desligamento do
   corpo materno)
(ainda que tenha sido um furo outrora, o umbigo
   já não é orifício)

e assim todos os meus orgãos
ficaram deslizando
a palavra que queria sair pelo dedo indicador direito
de um lado para o outro

meu corpo tornou-se campo
para que meus órgãos brincassem de bobinho com
   meu cérebro,
que era o único que poderia calar
a palavra fujona,
mas não sabia seu nome.

NOTA SOBRE O DESEJO:

A gente não precisa beber todo o vinho do mundo num único jantar e nem todas as cervejas no começo do churrasco. Não precisamos dormir até entrar em coma e nem comer até vomitar. A gente não precisa ser amado até se deixar sufocar e nem amar até tirar o ar do outro. Não precisamos abraçar alguém tão forte até esmagar os ossos dela e nem beijar alguém com tanta intensidade que a deixe roxa (ao menos não sempre). Não precisamos estudar o tempo todo, nem trabalhar o tempo todo, nem tirar férias o tempo todo. Não é preciso que sejamos felizes ou tristes o tempo todo. A vida está nas oscilações. As grandes alegrias, assim como as grandes tristezas, só são sentidas em alguns intervalos. Nem toda falta dói, nem toda realidade nos angustia. As nossas fantasias, às vezes (muitas vezes) (quase sempre), são melhores do que a realidade e isso não significa que tenhamos que "criar menos expectativas" (como se fosse possível!), mas que talvez seja o caso de curtirmos a nossa capacidade de fantasiar. O desejo está aí para ser desejado e isso não significa que todos os desejos devam ser realizados (aqueles que fazem análise bem sabem o tanto de coisas que a gente deseja, mas que deuzolivre esses desejos virarem realidade). As demandas das outras pessoas sobre nós estão aí, nem todas para serem atendidas, mas nem todas para serem recusadas. Freud nos ensina que não existe objeto de satisfação para o nosso desejo na realidade, que só há objeto de satisfação para o desejo na nossa fantasia, ou no nosso delírio. Assim sendo, nosso desejo nunca poderá ser plenamente satisfeito. Isso não significa que devamos ser cínicos e sequer irmos em busca daquilo que queremos, pois dizer que o nosso desejo não pode ser plenamente satisfeito não é o mesmo que dizer que o nosso desejo não pode ser parcialmente satisfeito. Então, que nos satisfaçamos parcialmente! Que sejamos não--todos felizes, mas ainda assim, felizes. Que sejamos não-todos leves, mas ainda assim, leves. Deixemos espaço para o desejo!

ELOGIO À INCOMPREENSÃO

A gente escuta mal, pensa que compreende o que o outro não disse, entende o que a pessoa disse antes que ela termine de dizer, interrompe o que o outro está dizendo para falar o que se pensa do que se supõe que ele dirá.

(Entender é grave)

A gente escuta mal, crê saber a palavra que o outro esqueceu, se fixa demasiadamente nessa tal de empatia-sem-sequer-questionar-o-que-seria-isso, acredita que sabe o que o outro sentiu quando nunca se vive o que o outro viveu.

(Ninguém veste a pele do outro, ainda que o suponha)

A gente escuta mal, ouve as palavras que o outro diz e acha que as escutou, ouve o que o outro diz e fala cedo demais, ouve o que outro diz já pensando no que responder.

(Ouvir é diferente de escutar)

A gente escuta mal, acha que sabe o que é melhor pro outro, acha que não sabe o que é melhor pra si, não sabe que quanto mais se acha que achou algo, mais se está perdido.

(Escutar é exercício de alteridade.)

QUANDO VOCÊ TEM 13 ANOS

Quando você tem 6 graus de miopia aos 13 anos de idade e está indo encontrar a garota que você planejou e ensaiou como pedir em namoro mais de 6 mil vezes (e em todas elas ela recusou) mas mesmo assim você enche o peito de coragem e vai, torcendo para que pela primeira vez na vida você esteja errado (e aos 13 anos de idade uma primeira vez na vida importa tanto quanto uma vida inteira de uma pessoa que viveu intensamente até os 600 anos de idade) – quando você já está em cima da hora para encontrar a garota no banco da praça, quando você sai descendo as escadas do prédio segurando o lixo da cozinha o mais distante possível do corpo para não ser impregnado pelo fedor de resto de suco de laranja de ontem – tudo o que você não precisa, mas tudo o que você não precisa mesmo, é, de repente, num instante, ter uma perna direita que tem um surto instantâneo de Alzheimer, e, misteriosamente, se esquecendo como anda, não anda; e, então, a outra perna, a esquerda, continua descendo as escadas sozinha, o que leva seu tronco a despencar para a direita, que era o lado da mão que segurava o saco de lixo, então ter que soltar o saco de lixo para tentar segurar no corrimão, então deixar a os restos que sua família de seis pessoas produziu nos últimos dois dias se esparramar pelo chão e escorrer pro seu próprio corpo – e ainda ver, enquanto sente seu joelho ralar no degrau da escada – seus óculos voarem pro andar de baixo e trincarem de um jeito que ficam mais parecendo um mosaico de igreja feito por um aluno de maternal na aula de artes. Nem nas minhas fantasias mais desastrosas alguma coisa perto disso aconteceu, e não foi por falta de criatividade.

Mas quando você tem 13 anos nos anos 1990, você não pensa que pode voltar pra casa e aí mandar um WhatsApp pra ela dizendo que vai se atrasar um pouco, então se recompor e ir ao encontro dela, porque, ora bolas, são os anos 1990! e se você ligar pro telefone da casa dela, há grandes chances de que a mãe ou o pai dela atendam o telefone.

Mas quando você é um garoto corajoso nos anos 1990, você vai mesmo assim ao encontro dela, tateando as paredes pra continuar descendo as escadas com o lixo ou com aquilo que foi possível catar do lixo na mão, descendo os degraus nem tão devagar assim, porque você agora está oficialmente atrasado, e buscando mentalmente um modo que não seja tão humilhante de dar oi para a garota que lhe aguarda, com alguma dignidade.

Então, quando você tem 13 anos de idade e essa tragédia anuncia acabar com a sua vida, você apenas torce para que a menina não esteja mais lá quando você chegar, porque assim você poderá não passar por essa desgaraça de situação na vida, mas também poderá dormir à noite porque a culpa não vai te morder dos calcanhares aos ângulos mais ocultos do cérebro a noite toda.

Mas a coisa que você menos imagina que vai acontecer, aos 13 anos de idade, é que, após seis décadas, uma cirurgia para miopia e uma para catarata, isso em cada olho, ela ainda te constranja em frente aos amigos e à família, contando como foi que você deu um beijo de oi cheio de segundas intenções na bochecha do irmão dela, que ela teve que levar junto para que os pais a deixassem ir ao primeiro encontro, porque ela o deixou no banco em que marcamos para comprar chicletes, já que eu estava demorando.

E SE

E se acontecer assim, da palavra insistir em escapar, do vinho avinagrar mesmo bem armazenado, do beijo de língua secar, da lágrima não cair, do abraço não aconchegar, do sono não vir, não vir e não vir – como encontrar opostos que nos salvem, por não serem tão opostos assim? Palavras que quase digam o que pensamos que queríamos dizer, vinhos que sejam abertos no melhor ponto possível antes de começar a estragar, beijos que sejam molhados sem ser babados, lágrimas que escorram sem despencar, abraços que deem contorno aos corpos sem aprisioná-los, sonos que cheguem sabendo ir embora... Qual é o ponto em que o oposto de uma coisa vira a própria coisa?

De pozinho em pozinho a ampulheta marca a passagem do tempo. De tique em taque, de taque em tique, o relógio anuncia nossa finitude. A cada abrir de geladeira para pensar, sem perceber, em busca de uma torta de maçã ou de um bolo de chocolate que apareça miraculosamente, a vida escorre. A cada peguei o celular para buscar tal informação, e de repente já entrei em tudo que é rede social e não pesquisei o que eu ia pesquisar, a morte abraça as nossas pernas. De domingo em domingo nossa vida se esvai. A cada beijo molhado, o frio que a gente sente na barriga é também um pedaço de morte. E quando a gente cheira o pescocinho do filho, diz que morre de amor. No meio de um dia que a gente chama de útil, mas frequentemente é inútil, e recebe uma boa notícia via WhatsApp, frequentemente responde com um "morriiiii" e é de alegria. A gente vive morrendo. Até parar de morrer. E assim é a vida. Que até parar de morrer a gente viva bem vivos.

PARADOXOS

É a linha do horizonte
que inaugura o céu,
que faz existir o mar.

(Dos paradoxos da vida: quando aquilo que parece separar, une)

CARNAVAL

Costurei uma fantasia
Toda para você vestir
Combinando com a minha

Mas você insiste em continuar usando a sua própria pele – como fantasia

É por isso que você me interessa
Para além
Do carnaval

BINHO

Maionese e televisão ligada.

Linguiça toscana e Sasá no ápice de sua adolescência, incompreendida, reclamando do barulho de tudo e de todos.

Frango assado e o pai conversando trivialidades com a avó, que sofria de uma surdez seletiva e de um incrível excesso de audição quando alguém falava dela.

Costela e a mãe sobrecarregada com os afazeres de casa, se queixando de que era o estresse dela que fazia a maionese não ser mais tão boa quanto antes, mesmo que todos achassem que a maionese continuava deliciosa.

Salada verde, legumes, refrigerante e, enquanto isso, Binho repetia o seu ritual, a cada domingo mais ensimesmado. Três batidas silenciosas com o cabo do garfo em cima da mesa e três com o cabo da faca embaixo da mesa antes de iniciar a refeição. Vinte e três mastigadas antes de engolir.

Primeiro a salada, começando pelo verde, depois as cores quentes e só então a comida quente. Uma garfada de maionese a cada vez que mudava a cor da vez.

A mãe de Binho gritando, a vó dramatizando uma surdez na busca da atenção do filho, o pai de Binho hipnotizado na tentativa de se comunicar com sua mãe, Sasá com imensos fones de ouvidos e Binho concentrado nas etapas e nas cores das comidas.

As quantidades também eram fundamentais, pois era preciso habilidade para fazer com que o arroz e a carne acabassem ao mesmo tempo. Era preciso se concentrar bem, na hora de servir suas porções, a fim de que nenhuma delas fosse escassa ou excessiva. Binho tinha fetiche por coisas que terminavam ao mesmo tempo. Ele tinha abandonado no banho o condicionador, pois sempre durava mais do que o xampu. Se era para uma coisa acabar antes da outra, que nem começasse.

A refeição era, para Binho, uma orquestra que, por mais caótica que fosse para sua família, exigia talento dele. Eram assim os domingos.

Um dia, a mãe do menino, como se fosse começar o ritual dele, bateu a ponta do garfo na mesa, mas não silenciosamente como ele, bateu, fazendo muito barulho, e anunciou: estou indo embora de casa.

Binho parou de respirar, sua mãe olhou delicadamente para ele e para Sasá e disse aquelas coisas que os pais dizem quando se separam, mas que pouquíssimos cumprem. Olha, meus filhos, não vai mudar nada entre nós, a mamãe vai embora porque não ama mais o papai como antes, mas eu vou continuar amando vocês para sempre, do mesmo jeito, tá?

Binho não entendeu, mas a mãe disse que um dia ele entenderia. Sasá ficou aliviada, pois se a mãe ao menos tentasse ser feliz, quem sabe também ela poderia ser um dia. A sogra ficou angustiada, porque ela não queria o filho só pra ela, a graça estava na disputa. O pai se manteve mudo e com cara de triste – o feijão com arroz de sempre. A mãe de Binho virou as costas para arrumar suas malas e Binho retornou à sua refeição.

Naquele domingo o arroz acabou antes da carne.

VIVER

Viver
É constantemente
Elaborar o luto
Pelo que a gente pensava que
Era a vida

Amar
É constantemente
Elaborar o luto
Pelo que a gente pensava que
Era o amor

Cada vez mais
Sei menos
A diferença entre
Viver
E
Amar.

AMAR

Amar alguém
Que nos leve a
Amar a vida
Mais do que esse alguém
E por isso amar
Tanto, tanto

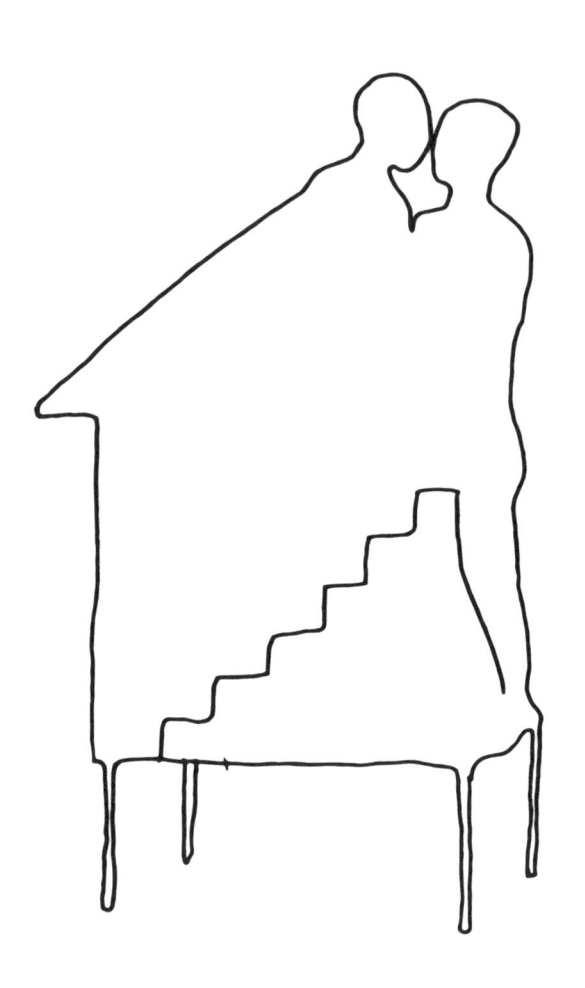

LEIA TAMBÉM

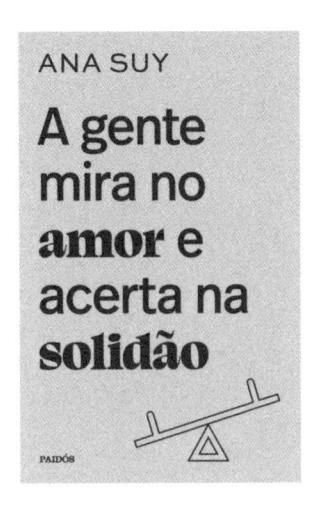

ANA SUY

A gente mira no **amor** e acerta na **solidão**

PAIDÓS

ANA SUY

NÃO PISE NO MEU VAZIO

Ou o livro do vazio

Planeta

**Acreditamos
nos livros**

Este livro foi composto em ITC New Baskerville
e impresso pela Gráfica Santa Marta para a
Editora Planeta do Brasil em setembro de 2024.